D1308065

LES INNOCENTS

OUVRAGES DE GEORGES SIMENON

AUX PRESSES DE LA CITÉ

MAIGRET

Mon ami Maigret
Maigret chez le coroner
Maigret et la vieille dame
L'amie de Mme Maigret
Maigret et les petits cochons sans queue
Un Noël de Maigret
Maigret au « Picratt's »
Maigret en meublé
Maigret, Lognon et les gangsters
Le revolver de Maigret
Maigret et l'homme du banc
Maigret a peur
Maigret se trompe
Maigret à l'école
Maigret et la jeune morte
Maigret chez le ministre
Maigret et le corps sans tête
Maigret tend un piège

Un échec de Maigret
Maigret s'amuse
Maigret à New York
La pipe de Maigret et Maigret se fâche
Maigret et l'inspecteur malgracieux
Maigret et son mort
Les vacances de Maigret
Les Mémoires de Maigret
Maigret et la Grande Perche
La première enquête de Maigret
Maigret voyage
Les scrupules de Maigret
Maigret et les témoins récalcitrants
Maigret aux Assises
Une confidence de Maigret
Maigret et les vieillards

Maigret et le voleur paresseux
Maigret et les braves gens
Maigret et le client du samedi
Maigret et le clochard
La colère de Maigret
Maigret et le fantôme
Maigret se défend
La patience de Maigret
Maigret et l'affaire Nahour
Le voleur de Maigret
Maigret à Vichy
Maigret hésite
L'ami d'enfance de Maigret
Maigret et le tueur
Maigret et le marchand de vin
La folle de Maigret
Les enquêtes du commissaire Maigret (2 volumes)

ROMANS

Je me souviens
Trois chambres à Manhattan
Au bout du rouleau
Lettre à mon juge
Pedigree
La neige était sale
Le fond de la bouteille
Le destin des Malou
Les fantômes du chapelier
La jument perdue
Les quatre jours du pauvre homme
Un nouveau dans la ville
L'enterrement de Monsieur Bouvet
Les volets verts
Tante Jeanne
Le temps d'Anaïs
Une vie comme neuve
Marie qui louche
La mort de Belle
La fenêtre des Rouet

Le petit homme d'Arkhangelsk
La fuite de Monsieur Monde
Le passager clandestin
Les frères Rico
Antoine et Julie
L'escalier de fer
Feux rouges
Crime impuni
L'horloger d'Everton
Le grand Bob
Les témoins
La boule noire
Les complices
En cas de malheur
Le fils
Le nègre
Strip-tease
Le président
Dimanche
La vieille
Le passage de la ligne
Le veuf
L'ours en peluche

Betty
Le train
La porte
Les autres
Les anneaux de Bicêtre
La rue aux trois poussins
La chambre bleue
L'homme au petit chien
Le petit saint
Le train de Venise
Le confessionnal
La mort d'Auguste
Le chat
Le déménagement
La main
La prison
Il y a encore des noisetiers
Novembre
Quand j'étais vieux
Le riche homme
La disparition d'Odile

« TRIO »

I. — La neige était sale — Le destin des Malou — Au bout du rouleau.
II. — Trois chambres à Manhattan — Lettre à mon juge — Tante Jeanne.
III. — Une vie comme neuve — Le temps d'Anaïs — La fuite de Monsieur Monde.
IV. — Un nouveau dans la ville — Le passager clandestin — La fenêtre des Rouet.
V. — Pedigree.
VI. — Marie qui louche — Les fantômes du chapelier. — Les quatre jours du pauvre homme.
VII. — Les frères Rico — La jument perdue — Le fond de la bouteille.
VIII. — L'enterrement de Monsieur Bouvet — Le grand Bob — Antoine et Julie

GEORGES SIMENON

LES INNOCENTS

roman

PRESSES DE LA CITÉ
PARIS

IL A ÉTÉ TIRÉ DE CET OUVRAGE
CENT EXEMPLAIRES LUXE NUMÉROTÉS
DE 1 A 100 CONSTITUANT L'ÉDITION ORIGINALE

I

Même la giboulée de mars qui tombait depuis une heure était savoureuse, car elle donnait à l'atelier une couleur plus intime. On retrouvait les toits de Paris que la pluie laquait d'un noir bleuâtre et le ciel était d'un gris qui gardait une certaine luminosité.

Célerin, que les autres appelaient plus familièrement M. Georges, était debout devant sa planche à dessin, traçant avec minutie les contours d'un bijou qu'il avait depuis longtemps l'envie de réaliser. C'était un chardon, en trois ors différents, dont l'idée lui était venue en voyant un tableau dans une vitrine.

Une cigarette éteinte, comme d'habitude, pendait à sa lèvre inférieure et de temps en temps il chantonnait des bribes de vieilles chansons dont il n'avait retenu que quelques vers.

Jules Daven, lui, l'aîné de ses ouvriers, était penché sur son établi où étaient rangés des instruments de précision que leur taille minuscule aurait pu faire prendre pour des jouets d'enfants : burins, limes, pinces, ciselets de sertisseur, bouterolles, filières, scies, équarrisseurs...

Il maniait un chalumeau si fin que la flamme n'était que comme un fil bleuâtre.

Son camarade Létang qui, à quarante-neuf ans, avait sept enfants et dont la femme en attendait un huitième, découpait en tranches fines une brique d'or.

Pierrot, enfin, le dernier venu, polissait une bague dans laquelle une pierre viendrait se sertir.

La porte vitrée était fermée, ce qui indiquait qu'il y avait un client ou une cliente dans le magasin, domaine de Mme Coutance.

Ce n'était pas à proprement parler un magasin, car le local était situé au dernier étage d'un ancien hôtel particulier de la rue de Sévigné.

Il n'y en avait pas moins un comptoir en bois clair, des vitrines, le long des murs, où les bijoux étaient exposés.

Célerin était heureux, en paix avec lui-même et avec les autres.

Il avait travaillé dix ans dans une grande bijouterie de la rue Saint-Honoré. Brassier, un de ses camarades qui, lui, était vendeur, avait fait un héritage assez important et lui avait proposé de se mettre tous les deux à leur compte.

Brassier, bien sûr, à cause des fonds qu'il avait investis dans l'affaire, avait une part plus importante dans leur association et il y avait seize ans maintenant que cela durait ainsi sans aucun heurt.

Brassier proposait les bijoux dans les bijouteries et prenait les commandes. Rue de Sévigné, il ne faisait que passer. Quant à Célerin, l'atelier était son domaine.

Il y régnait une atmosphère détendue et assez souvent on envoyait le jeune Pierrot acheter une bouteille de beaujolais dans le bistrot d'à côté.

Quant au premier ouvrier, Daven, qui était pourtant un homme de cinquante-quatre ans, c'était le comique de la maison et il avait toujours des histoires drôles à raconter.

Sait-on quand on est heureux ? Célerin aurait juré qu'il l'était et que rien ne pouvait lui enlever son bonheur. Il faisait le métier qu'il aimait, sans avoir à se préoccuper d'un patron. Sa femme et ses enfants ne lui donnaient aucun souci.

Il était dans la force de l'âge et ne souffrait d'aucun des bobos qui s'accumulent avec les années.

On entendait, à côté, les voix qui montaient d'un ton. On entendait aussi s'ouvrir la porte du palier. Ce n'était pourtant pas fini et le dialogue entre une voix haut perchée et la voix plus sourde de Mme Coutance se poursuivait dans l'encadrement de la porte.

— Je parie que c'est la Papine, grommela Daven.

Son nom était Mme Papin, ou plus exactement, comme elle s'annonçait elle-même, Madame Veuve Papin.

Elle était très riche. C'était une de leurs meilleures clientes, mais c'était aussi la reine des emmerdeuses.

La porte extérieure se fermait enfin. La porte vitrée, qui communiquait avec le magasin, s'ouvrit sur une Mme Coutance épuisée.

— La Papine, expliqua-t-elle, confirmant l'hypothèse de Daven.

Mme Coutance approchait de la quarantaine et son

mari était mort très jeune. Elle était boulotte, avec un visage un peu poupin sur lequel il y avait toujours un sourire.

— Cette fois, il s'agit d'un camée...

Elle le tendit à Célerin qui l'examina avec soin.

— C'est une très belle pièce, qui doit dater de l'époque napoléonienne. A la finesse du travail, je déduis qu'il a été exécuté par un des grands spécialistes de l'époque et je me demande même si ce n'est pas le portrait de Joséphine de Beauharnais... Qu'est-ce qu'elle veut ?

— Changer la monture.

— Mais la monture est d'époque aussi et augmente la valeur du camée.

— J'ai essayé de le lui faire comprendre, mais vous la connaissez.

« — J'en ai assez de toutes ces vieilleries... »

Déjà riche, elle avait hérité des bijoux d'une vieille tante qui les avait amassés pendant toute sa vie.

Maintenant, elle les modernisait. Et le moderne, pour elle, se situait vers 1900. Pour chaque bijou, elle discutait longtemps, de sa voix haut perchée. Son visage était mauve, à cause d'un étrange maquillage, et elle portait toujours un chapeau à paillettes.

Elle s'appelait Papin, soit, puisqu'elle avait épousé le Papin des roulements à billes, mais elle ne laissait ignorer à personne qu'elle était née Hélène de Molincourt, pas plus qu'elle ne laissait ignorer qu'elle était veuve.

Sur ses cartes de visite et sur son papier à lettres

il y avait, après le nom de Papin, la mention « née de Molincourt ».

Et, de sa vieille tante, elle avait hérité le château de ce nom, dans le Cher.

Daven l'imitait très bien. Il parvenait même à imiter la voix. Il posa le camée sur son établi. Il n'y avait pas de coffre-fort. Les lingots d'or ou de platine, les pierres précieuses ou semi-précieuses se trouvaient sur des étagères et rien, depuis douze ans, n'avait disparu.

Le timbre de la porte d'entrée résonna. Une plaque d'émail disait : Entrez sans sonner. D'où il se tenait, Célerin aperçut le premier le képi d'un agent de police et il se dit qu'on allait encore lui faire changer sa voiture de place.

L'agent toussait en regardant autour de lui. Il finit par avancer vers la porte de l'atelier et, cette fois, l'orfèvre fit trois pas à sa rencontre.

— Est-ce qu'il y a ici un M. Célerin ?... Georges Célerin...

— C'est moi... Il s'agit encore une fois de ma voiture ?

— Non, monsieur... Je ne suis d'ailleurs pas du quartier et je ne m'occupe pas de la voie publique... Brigadier Fernaud, du commissariat du VIIIe...

L'air embarrassé, il regardait avec une certaine surprise autour de lui cet atelier comme il n'en avait jamais vu.

— Nous pouvons entrer dans votre bureau ?

— Je n'ai pas de bureau... Vous pouvez parler devant mes camarades. De quoi s'agit-il ?

Le policier avait salué.

11

— J'ai une mauvaise nouvelle à vous annoncer, monsieur Célerin... Vous êtes bien le mari d'Annette-Marie-Stéphanie Célerin...

— C'est ma femme, oui...

— Il lui est arrivé un accident...

— Quel genre d'accident ?

— Elle a été renversée par un camion, rue Washington...

— Vous êtes sûr qu'il n'y a pas erreur ?... Ma femme fréquente très peu le quartier des Champs-Elysées... Elle est assistante sociale et son secteur est le quartier Saint-Antoine et le quartier Saint-Paul...

— L'accident a eu lieu pourtant rue Washington...

— C'est grave ?

A voix presque basse, le brigadier Fernaud murmura :

— Elle est morte à son arrivée à l'hôpital Lariboisière...

— Annette ?... Morte ?...

Les autres le regardaient, le visage sans expression. C'était tellement soudain, tellement inattendu qu'on parvenait à peine à y croire.

— Je veux aller la voir...

— On vous attend avant d'envoyer le corps à l'Institut médico-légal...

Célerin endossait son veston qu'il remplaçait par une longue blouse blanche quand il travaillait. Il ne pleurait pas. Ses traits étaient figés comme si toute expression de douleur eût été dérisoire.

Ce n'est qu'au moment de franchir la porte qu'il se retourna et dit une phrase qu'il sentit ridicule.

— Excusez-moi, mes enfants...

Il n'y avait pas d'ascenseur. Ils descendirent les quatre étages, Célerin devant, le brigadier derrière.

— Il vaudrait peut-être mieux que je vous accompagne.

— Peut-être. Je ne connais pas les hôpitaux... Personne n'a jamais été vraiment malade dans la famille...

— Vous avez des enfants ?

— Deux. Comment avez-vous trouvé l'adresse de mon atelier ?

— La carte d'identité de votre femme portait une adresse du boulevard Beaumarchais... Je suppose que c'est là que vous habitez ?

— Oui...

— Une dame fort gentille, avec un accent étranger, m'a reçu... Je lui ai demandé où vous étiez et elle m'a donné le numéro de la rue de Sévigné...

— Vous lui avez dit de quoi il s'agissait ?

— Non... Vous avez une voiture ?

Une petite Citroën blanche parquée en face de l'immeuble. Ils y entrèrent tous les deux. La pluie tombait toujours, comme plus fluide et plus claire que pendant les autres périodes de l'année.

— Comment est-ce arrivé ?

Le brigadier le regardait avec respect, comme si le malheur faisait de Célerin un homme à part, plus grand que nature.

— Je ne sais pas exactement... Ils sont en train, sur les lieux, de procéder à l'enquête... Je sais seulement ce qu'un passant a déclaré ainsi qu'un certain Manotti, marchand de primeurs, dont la boutique est presque en face de l'endroit où l'accident s'est produit... Roulez

13

vers la gare du Nord... L'hôpital Lariboisière se trouve rue Ambroise-Paré...

— Ma femme traversait la rue ?

— Elle paraissait, à ce que disent les deux témoins, sortir d'un immeuble proche, sur lequel ils ne semblent pas d'accord... était pressée, marchait très vite, courait presque... A un moment, elle a voulu traverser la rue... La chaussée, à cause de la pluie, était glissante... Elle est tombée... Un camion de livraison n'a pas pu s'arrêter à temps et lui a passé sur le corps...

« Mon collègue a tout de suite appelé une ambulance et un médecin... Elle respirait encore, bien qu'elle eût la cage thoracique défoncée... »

— Elle a eu le temps de parler ?

— Non... Je vous demande pardon du détail, mais elle vomissait du sang... Un médecin, le docteur Vigier, était dans l'ambulance... Il l'y a tout de suite installée...

« Mon collègue, qui était sur les lieux, a alerté le commissariat. Des inspecteurs se sont précipités vers la rue Washington et je me suis rendu à l'hôpital... »

— Vous l'avez vue ?

— Oui.

— Où était-elle ?

— Il n'y avait plus de place aux urgences, sinon dans le couloir, où se trouvaient déjà deux ou trois blessés. Le docteur Vigier était encore là.

« — Voici sa carte d'identité avec son adresse, me dit-il. Il faudrait prévenir la famille. »

— Comment était-elle ?

— Je n'ai fait que soulever en partie le drap qui la recouvrait...

14

— Non... Ne me dites pas...

Curieusement, il était calme, d'un calme comme glacé. Il se faufilait dans les files de voitures et atteignit l'entrée de Lariboisière.

— Un peu plus loin... Aux urgences...

Dans un couloir au sol couvert de céramiques jaunâtres, un jeune médecin donnait ses soins à un vieillard qui gardait le regard fixé sur le plafond et ce regard était déjà vide. Deux autres lits étaient recouverts d'un drap.

— Je vais appeler le docteur Vigier...

Célerin restait là comme quelqu'un qui ne comprend pas. L'infirmière lui montra une chaise et l'invita à s'asseoir.

Il dut répondre machinalement :

— Merci.

Mais il n'en était pas sûr. Le monde venait de basculer. Le décor, les gens, n'avaient plus de consistance. Il regardait autour de lui avec des yeux presque indifférents.

Le jeune médecin arriva de tout au bout du couloir et lui tendit la main.

— Monsieur Célerin ?

— Oui.

— Docteur Vigier. C'est moi qui suis allé rue Washington mais, malheureusement, je me suis rendu compte qu'il était trop tard... Cela vaut presque mieux qu'elle soit morte sur le coup... Je suppose que vous ne désirez pas que je vous parle en termes médicaux ?... Sachez seulement qu'elle avait la poitrine et l'abdomen défoncés...

15

— Je peux la voir ?

Le médecin souleva le drap à hauteur du visage. On avait dû laver celui-ci, qui ne portait plus de traces de sang. Il s'en dégageait un calme extraordinaire.

Il posa d'abord deux doigts sur la joue, comme pour une caresse, puis il se pencha et frôla le front blanc de ses lèvres.

Vigier lui dit :

— On va venir la chercher de l'Institut médico-légal, car je crois qu'une autopsie sera nécessaire...

— Pourquoi ?

— Parce que, avec les assurances, on ne sait jamais... Je vais vous remettre son sac à main, où je me suis permis de prendre un instant sa carte d'identité afin d'apprendre son adresse... Il y a longtemps que vous étiez mariés ?

— Vingt ans... Nous allions fêter, le mois prochain, nos vingt ans de mariage...

— Vous avez des enfants ?

— Deux.

— Ils sont en âge de comprendre ?

— Je ne sais pas... L'aîné a seize ans et ma fille en a quatorze et demi...

Le fourgon de l'Institut médico-légal s'arrêtait devant la porte et deux hommes s'avançaient avec une civière.

— Lequel je prends en premier ? questionnait un des deux hommes en montrant les lits...

Et, de son côté, Célerin demandait timidement :

— Qu'est-ce que je fais ?

— Le mieux est de rentrer chez vous et d'annoncer

16

la nouvelle à vos enfants... Le corps vous sera rendu d'ici un jour ou deux...

— Je vous remercie...

Il ne savait pas s'il devait tendre la main. Il ne savait plus rien. Il fut surpris de voir le brigadier qui l'attendait.

— Je peux vous laisser aller seul ?

— Pourquoi pas ?

La question l'étonnait. Il était dans un monde incompréhensible. Il y avait eu d'abord cette averse limpide qui frappait les carreaux. Puis la Papine et le camée qu'il fallait sertir dans une monture 1900. Et enfin ce képi d'agent de police...

Annette était morte. On l'amenait dans ce qu'on appelait jadis la morgue. Il serra vaguement la main du brigadier et faillit partir dans le mauvais sens. Il était près de six heures. La circulation était dense et les pare-chocs se touchaient presque.

Il fut sur le point de se rendre rue de Sévigné, il n'aurait pas pu dire pourquoi. Il aurait eu ses camarades autour de lui. Il se serait retrouvé dans l'atmosphère qui lui était la plus familière et peut-être serait-il rentré tout doucement dans la réalité.

Annette n'avait rien à faire rue Washington. Les vieillards, les malades, les déchets d'humanité qu'elle visitait vivaient entre la rue Saint-Paul et la Bastille. C'est pour cela qu'elle n'avait pas besoin de voiture.

Jean-Jacques, son fils, et Marlène, sa fille, étaient depuis longtemps rentrés du lycée et ils ne savaient encore rien. Si Nathalie leur avait parlé de la visite

17

du sergent de ville, ils devaient penser qu'il s'agissait d'une contravention.

Il n'y avait jamais eu de drame dans la famille. Rien. Pas même une vraie dispute.

Il rangea sa voiture à son emplacement habituel, boulevard Beaumarchais, puis, en passant devant un bistrot où il mettait rarement les pieds, il hésita, finit par y entrer. Il se dirigea droit vers le comptoir et murmura honteusement :

— Un cognac...

Le patron, qui le connaissait, le regardait curieusement.

— Il y a quelque chose qui ne va pas, monsieur Célerin ?

Il hésita, regarda l'homme qu'on appelait Léon, avala son verre d'un trait et laissa tomber :

— Ma femme est morte...

— Elle ne paraissait pourtant pas malade... Et elle était encore jeune...

— On l'a écrasée ! lança-t-il d'un air de défi. Remettez-moi ça...

Il but trois verres, coup sur coup. Léon le regardait avec consternation et aussi avec une sorte de respect, à cause du malheur qui le grandissait à ses yeux.

— Vos enfants savent ?

— Pas encore... Je vais le leur annoncer...

Son corps était mou, sa démarche imprécise. Il passa sans s'arrêter devant la loge de la concierge à qui il oublia de faire le petit signe habituel. Il prit l'ascenseur et poussa le bouton du troisième.

Ce fut Nathalie qui lui ouvrit la porte. Ce n'était

18

pas une bonne ordinaire. Elle avait près de soixante ans et il y avait dix-huit ans qu'elle vivait avec eux. Elle était assez grosse, avec un large visage souriant.

Dès qu'elle vit Célerin, elle comprit que quelque chose de grave s'était passé.

— L'agent de police est allé vous voir ?

— Oui.

— Alors ?

— Elle est morte...

— Elle est morte ?...

Elle mit sa main sur sa bouche pour ne pas pousser un cri.

— Vous voulez dire que Madame...

— Oui.

— Mais comment ?

— Ecrasée...

— Dans la rue, comme ça ?...

— Il paraît...

— Où est-elle ? On va nous la ramener ?

— Elle est à l'Institut médico-légal où ils doivent procéder à son autopsie...

— Pourquoi ?

— Je ne sais pas... Je ne sais rien... Où sont les enfants ?...

Il avait envie de boire encore. Il pénétra dans la salle à manger où, dans le buffet, on gardait quelques bouteilles.

— Vous croyez ? fit la voix de Nathalie derrière lui.

— Oui.

Est-ce qu'il ne venait pas de perdre sa femme et

est-ce que sa vie à lui aussi n'était pas finie ? Il avait bien le droit de boire, non ? Il se versa un verre plus grand que dans le bistrot de Léon. Il se sentait un peu étourdi.

Quelqu'un entrait dans la salle à manger. C'était Jean-Jacques, son fils, qui fut surpris de voir son père devant une bouteille d'alcool et un verre.

— Appelle ta sœur, mon garçon...

Le gamin courut la chercher et elle resta sur le seuil, interdite.

— Que se passe-t-il ? Tu es en avance...

— J'ai une mauvaise nouvelle pour vous, mes enfants. Pour moi. Pour tout le monde. Maman a eu un accident... Elle a été renversée par un camion...

— C'est grave ?

— Le plus grave que cela puisse être... Elle est morte...

Et tout à coup, enfin, il éclata en sanglots.

*
**

Marlène poussa un cri et se jeta vers le mur sur lequel elle se mit à taper de ses deux poings en criant entre deux sanglots :

— Ce n'est pas vrai... Ce n'est pas possible... Pas maman !...

Quant à Jean-Jacques, il se maîtrisait et, comme s'il eût été déjà un homme capable de comprendre, il posait la main sur l'épaule de son père qui avait caché sa tête dans les bras.

— Calme-toi, père...

Dans la famille, on ne disait ni papa ni maman, mais père et mère, et ce n'était pas de la froideur mais une sorte plus pudique d'intimité.

Machinalement, Célerin tendait la main vers la bouteille et Jean-Jacques murmura, sans qu'on sente le moindre reproche dans sa voix :

— Il vaudrait mieux pas, ne crois-tu pas ?

Célerin arrêta son geste, dit doucement, avec un sourire pâle :

— Tu sais, fils, ce n'est pas ça qui m'assommerait.

— Je sais...

Ils étaient graves, tous les deux, comme si les années qui les séparaient venaient de s'effacer. Marlène était allée se réfugier dans la cuisine, probablement sur la poitrine de Nathalie.

— Tu comprends... Tout d'un coup... Pour rien... Sans raison... Sans maladie qui serve d'avertissement... Et moi qui, au même moment, me félicitais de cette première pluie de printemps...

— Que s'est-il passé ?

— Elle marchait vite sur le trottoir... Je ne sais pas... On ne sait encore presque rien... Pas même ce qu'elle allait faire rue Washington... D'après un témoin, elle sortait d'une maison de la rue... Elle a voulu traverser en courant et elle a glissé sur la chaussée mouillée... Un camion qui passait à ce moment-là n'a pas pu freiner à temps...

— Comment l'as-tu appris ?

— La police a ouvert son sac et a vu son adresse sur la carte d'identité... Un brigadier est venu ici... On lui a dit où je travaillais...

— Il est allé t'avertir à l'atelier ?

— Une cliente venait de sortir, la Papine, dont je vous ai parlé... Nous étions de très bonne humeur... Puis j'ai vu un képi d'agent de police dans l'entrebâillement de la porte...

Il ne pleuvait plus. Il y avait même un soleil encore timide et les boutons des arbres du boulevard Beaumarchais commençaient à s'ouvrir.

Ils habitaient l'appartement depuis leur mariage.

Au début, ils n'avaient que deux pièces en dehors de la cuisine et de la salle de bains. Heureusement, leurs voisins s'étaient retirés à la campagne et ils avaient pu faire un appartement assez vaste avec les deux logements.

C'était lui, plus que sa femme, qui attachait de l'importance au confort, qui aimait les meubles lourds et bien cirés comme on en trouve encore dans les petites villes. Au cours des années, ils avaient meublé l'appartement peu à peu, faisant parfois cinquante kilomètres pour assister à une vente aux enchères.

— C'est trop cher, Georges...

Pourquoi trop cher ? C'était leur seul luxe. Ils ne sortaient presque jamais et jamais ils ne s'ennuyaient.

Chacun des enfants avait sa chambre, près de celle de Nathalie qui les avait en somme élevés.

Elle vint les retrouver, les yeux et le nez rouges.

— Vous mangerez à l'heure habituelle ?

Ils mangeaient à sept heures et demie, mais aujourd'hui il ne savait plus. Il était à la maison plus tôt que d'habitude. Les autres jours il quittait l'atelier à sept heures.

22

— Comme vous voudrez, Nathalie... Que fait Marlène ?...

— Elle est étalée sur son lit et je crois qu'il vaut mieux ne pas la déranger... Cela a été une secousse... Elle ne se rend pas encore très bien compte... Ce ne sera que les jours suivants qu'elle sentira le vide...

— Je vais demain au lycée ? demanda Jean-Jacques.

Comme Célerin hésitait, pris de court, ce fut Nathalie qui répondit :

— Et pourquoi n'irais-tu pas ?

— Je croyais...

Pour Célerin aussi beaucoup de choses venaient de perdre leur importance. Même les enfants. Il avait honte de le penser, mais il ne trouvait en eux aucun réconfort.

Quant à l'appartement...

Comment avait-il pu attacher tant de prix à des meubles, à des bibelots qui l'entouraient et qui n'avaient plus aucune vie ?

Tout était vide. Lui aussi. Qu'est-ce qu'on était en train de faire à Annette ? On lui avait ouvert le corps. Ils étaient sans doute plusieurs autour d'elle... Et après ? Qu'est-ce qui se passerait après ?

Jamais plus elle ne reprendrait sa place dans l'appartement. Jamais plus il n'entendrait sa voix, ne serrerait sa petite main nerveuse.

Il referma la bouteille en poussant le bouchon très fort afin de ne pas être tenté de la rouvrir. Il buvait peu, mais il avait une cigarette éteinte aux lèvres du matin au soir. Il n'avait pas fumé depuis qu'il avait quitté la rue de Sévigné en compagnie du brigadier. Il en alluma une et elle avait un drôle de goût.

23

— Il faut faire un effort, monsieur... Ne vous laissez pas aller, surtout devant les enfants...

Jean-Jacques avait quitté la pièce. Sans doute lui aussi s'était-il réfugié dans sa chambre ?

Nathalie était née à Leningrad, qu'on appelait alors Saint-Pétersbourg. C'était deux ou trois ans avant les événements de 1917. Son père était officier de la Garde et avait été tué. Sa mère et deux de ses tantes avaient subi le même sort.

Une gouvernante était parvenue à atteindre Constantinople avec l'enfant et elle avait gagné leur vie à toutes deux en donnant des leçons de piano. Ensuite, elles étaient venues en France, à Paris, où la gouvernante avait continué à donner des leçons.

Elle en avait donné à Nathalie aussi, mais celle-ci n'avait pas le sens de la musique. Elle l'avait envoyée à l'école des Beaux-Arts, où elle n'avait obtenu que des résultats assez minces.

Quand la gouvernante était morte, alors que Nathalie avait un peu plus de vingt ans, elle avait travaillé d'abord dans un magasin où on s'était plaint de son fort accent.

Elle avait travaillé alors comme femme de chambre dans une famille riche du Faubourg Saint-Germain qui possédait un château dans la Nièvre et une propriété sur la Côte d'Azur.

Ses patrons étaient morts aussi et, après quelques autres places qui lui avaient paru pénibles, Nathalie était entrée chez les Célerin. Elle faisait en quelque sorte partie de la famille.

— Essayez surtout de ne pas penser...

24

Il faillit ricaner. Il n'avait pas besoin de penser. Le vide n'était pas seulement autour de lui, mais en lui. Il ne savait pas où se mettre. Que faisait-il, d'habitude, à cette heure-ci ? Il n'était pas encore rentré. Il travaillait dans son atelier. Il était entouré de visages souvent rieurs et c'était l'un ou l'autre qui, sur le coup de sept heures, lançait :

— On ferme !...

Parfois Brassier venait rapporter les bijoux qu'il avait montrés dans un certain nombre de bijouteries.

— Le pendentif est vendu, mais ils en veulent trois pareils...

Brassier ne lui ressemblait pas. Célerin, lui, était calme, un peu lent, et pouvait passer des heures devant sa planche à dessin ou devant son établi.

Brassier, plus jeune de deux ans, bouillonnait de vie et ne tenait pas en place. S'il était passé ce soir rue de Sévigné, on l'avait mis au courant. Ou même s'il avait téléphoné.

Il se laissa tomber dans son fauteuil, devant la télévision qui ne marchait pas pour le moment. Cet écran grisâtre, devant lui, lui paraissait saugrenu.

Il n'y avait plus rien de vrai. On lui avait en quelque sorte coupé ses racines.

Il se leva, parce qu'il ne pouvait pas rester assis. Il se dirigea vers sa chambre, leur chambre, qui n'était plus que la sienne. Il murmura à mi-voix :

— Annette...

Et, comme l'avait fait sa fille, il se jeta de tout son long sur le lit.

Plus tard, Nathalie vint le chercher et il se dirigea

25

machinalement vers la salle à manger où il retrouva ses enfants. Ceux-ci le regardaient en essayant de cacher une certaine peur, car son comportement les effrayait.

— Mangeons... lança-t-il d'une voix trop forte.

Il ne se souvint pas de ce qu'il mangea, sinon qu'il y avait de petites saucisses très épicées.

— Je suppose qu'on ne peut pas faire de la télévision ? questionna Marlène d'une voix tranquille.

— Bien entendu...

Pourquoi ? Il n'en savait rien. Il n'avait pas envie d'entendre de la musique, et encore moins des voix humaines.

— Je vous dis bonsoir dès maintenant, mes enfants... Je vais me coucher...

— Déjà ?

— Qu'est-ce que je ferais d'autre ?

Nathalie, comme d'habitude, avait apporté son assiette dans la salle à manger. Elle parvenait à cuisiner, à servir et à partager son repas avec eux.

— Bonne nuit, Nathalie.

— Vous ne voulez pas que je vous prépare une tisane ?

— Non. Merci.

— Vous pourriez prendre un des comprimés de Madame ?

Annette avait d'assez fréquentes insomnies et le médecin, le docteur Bouchard, qui était en même temps un de leurs amis, lui avait prescrit un somnifère assez léger.

Le flacon se trouvait sur la tablette de la salle de bains et Célerin prit deux comprimés, se regarda dans la glace, surpris de voir un visage aussi ravagé. On aurait dit qu'il n'avait plus en lui aucune énergie, qu'il n'était plus qu'une sorte de fantôme d'homme qui ne savait où se poser.

Il se déshabilla, se lava les dents et se glissa dans le grand lit où il avait maintenant beaucoup trop de place.

— Non, Georges... Pas ce soir... Je suis tellement fatiguée...

C'était fréquent. Mais pourquoi s'obstinait-elle, maintenant qu'il gagnait largement sa vie, à rester assistante sociale ? Si encore elle avait travaillé au bureau ! Mais non. Tous les jours, elle faisait sa tournée de vieillards, d'impotents, de malades. Non seulement elle leur parlait pour leur remonter le moral mais elle les lavait, faisait le ménage autour d'eux et pour beaucoup préparait leur repas.

La plupart de ses clients, comme elle disait avec bonne humeur, habitaient des taudis au cinquième ou au sixième étage et il n'y avait pas d'ascenseur.

— Quand nous serons mariés, j'espère que tu abandonneras ce travail ? lui avait-il dit pendant leurs fiançailles.

— Ecoute, Georges... Ne me parle plus jamais de ça... Vois-tu, si tu me forçais à choisir, je ne suis pas sûre de ma décision...

Elle n'était pas grande. Elle était mince, animée par une énergie considérable. Son père était mort dans un camp allemand et sa mère finissait ses jours dans une maison de repos, dans la grande banlieue. Annette la voyait rarement. Elle semblait avoir vis-à-vis de sa mère un mystérieux ressentiment, mais il n'avait jamais osé la pousser sur ce sujet.

A la vérité, ils se parlaient peu. Ils vivaient ensemble, en douce harmonie, et cela leur suffisait. Parfois, Annette lui racontait tout à coup l'histoire d'un de ses « clients » ou d'une de ses « clientes ».

Tous, ou à peu près tous, avaient dû avoir leur moment de bonheur. Maintenant, dans leur galetas, ils n'étaient plus que des déchets que la mort attendait au tournant.

Et pourtant ils se raccrochaient à la vie !

— Si tu voyais leur regard quand j'arrive chez eux... Je suis tout ce qui leur reste...

— Je comprends...

Il comprenait et en même temps il ne comprenait pas tout à fait.

— Tu te mines la santé...

— Je me porte comme un charme...

C'était vrai. Elle n'était jamais malade. Elle ne se plaignait de rien, sinon de ses insomnies.

Et voilà qu'elle était morte parce qu'elle avait traversé la rue en courant. C'était bien elle. Elle courait toujours. Elle avait couru toute sa vie. Savait-elle seulement où elle se précipitait de la sorte ?...

Il crut entendre la sonnerie du téléphone mais c'était lointain, assourdi, et il ne fit pas mine de sortir du lit.

Il devait dormir, et peut-être rêver, quand il aperçut l'épaisse silhouette de Nathalie penchée sur lui comme, chaque nuit, au moins une fois, elle allait se pencher sur les enfants.

Heureusement qu'il ne se réveilla pas seul. On posait une tasse de café sur la table de nuit et Nathalie lui touchait l'épaule.

— Monsieur...

Il grogna.

— Il est neuf heures...

— Oui...

Cela n'avait encore aucun sens pour lui.

— Votre associé vous attend au salon.

— Qui ?

— M. Brassier...

Il ne savait pas pourquoi Nathalie ne l'aimait pas. Brassier venait de temps en temps dîner avec sa femme et Nathalie était toujours de mauvaise humeur, ce qui n'était pas dans son caractère...

— Buvez un peu de café...

Il se souleva péniblement et saisit la tasse d'une main qui tremblait un peu.

— Vous aviez déjà bu, hier, avant de rentrer ?

Il n'y avait qu'elle à oser lui poser une telle question. Même Annette ne se le serait pas permis.

Il dut rougir et il murmura :

— Oui... Je n'en pouvais plus... Je suis entré dans le bistrot voisin... Chez Léon...

— Combien de verres avez-vous pris ?

— Trois...

— Il faut que vous me promettiez de ne pas recommencer... Vous n'êtes pas habitué à l'alcool... Ebranlé comme vous l'êtes en ce moment, cela risquerait de vous jouer un mauvais tour...

— Je ne me rendais pas compte... J'ai obéi à une impulsion...

— Prenez une douche, habillez-vous et je vous prépare votre petit déjeuner... M. Brassier attendra...

Il lui obéit comme à une mère ou à une infirmière. Quand il pénétra dans le salon, son associé était occupé à lire le journal. Il se précipita vers Célerin qu'il prit par les deux épaules.

— Mes condoléances, vieux... Je ne trouve pas grand-chose à te dire mais je suis sûr que tu me comprends... Tu sais que j'appréciais beaucoup Annette et quand hier, au bureau, on m'a raconté...

Nathalie coupa ces effusions en annonçant :

— Le petit déjeuner est servi...

— Merci... Tu prendras bien une tasse de café...

— Je viens d'en prendre... Je voulais d'abord m'assurer que tu tenais le coup... Où sont les enfants ?

— Au lycée, je suppose...

— C'est eux qui ont voulu y aller ?

— Je ne sais pas... Cela me paraît naturel... Tout à l'heure, moi, j'irai à l'atelier...

Brassier ne semblait pas tout à fait d'accord avec lui.

— Quand est-ce qu'on ramène le corps ?

— Je ne sais pas... Je ne sais rien... Je ne l'ai vue que dans un couloir d'hôpital...

— Que vas-tu faire ?

— Je ne sais pas, moi... Je n'ai pas l'habitude...

Il mangeait machinalement ses croissants et il y avait un rayon de soleil sur la nappe.

— Il y a deux solutions. Tu peux demander qu'on

30

la ramène ici, où les gens pourront venir lui rendre leurs derniers devoirs...

— Oui... Je suppose que c'est ainsi que cela se passe.

— Tu peux aussi demander aux pompes funèbres de l'installer jusqu'aux obsèques dans un de leurs salons mortuaires...

— Qu'est-ce que tu crois ?

— C'est à toi de décider... Cela dépend aussi du jour où elle quittera l'Institut médico-légal et de la date de l'enterrement...

— Pourquoi ?

— Pour les enfants... Si elle doit passer deux ou trois jours ici, dans l'appartement, je crains que ce ne soit une dure épreuve pour les enfants...

— Oui... Je comprends...

— Elle était catholique ?

— Non. Elle n'était même pas baptisée. Son instituteur de père était un farouche libre-penseur, comme on disait en ce temps-là...

— Et toi ?

— Je ne pratique pas...

— Il n'y aura donc pas de service à l'église... Peut-être, pour les voisins, cela fera-t-il mauvais effet ?...

Célerin était prêt à tout. Brassier marchait de long en large tout en parlant et il avait une telle vitalité que Célerin avait honte de son apathie.

— Tu veux que je te donne un coup de main ? Je pourrais voir les gens des pompes funèbres... As-tu un caveau de famille ?...

— Si tu crois que chez les Célerin on a un caveau

de famille ! Mes parents étaient des paysans et ils ont été enterrés dans le cimetière du village, derrière l'église...

— Pas de concession à perpétuité ?

— Non plus.

— Annette était assurée ?

— Non. Moi, je le suis, à son profit et à celui des enfants. Une assurance que j'ai prise dès que je me suis marié... Je l'ai augmentée, depuis...

— Il y a l'autre assurance, celle du camion...

— Le chauffeur, à ce qu'on m'a dit, n'était pas en faute... C'est elle qui, perdant l'équilibre, s'est lancée sous les roues...

— Ce n'est pas une raison... Il y aura une enquête...

Au bureau aussi c'était Brassier qui s'occupait de toutes les questions d'ordre pratique et de la correspondance.

— S'ils te questionnent, dis-leur que tu ne sais rien...

Il haussa les épaules, vida sa troisième tasse de café.

— Je ne sais pas à quel cimetière on va l'envoyer... Tous les cimetières de Paris et des environs sont pleins...

Il haussa les épaules une fois de plus. Qu'importait le cimetière puisque Annette n'était plus là ?

Le téléphone sonna. Il décrocha.

— Oui... Qui ?... Oui... Je suis Georges Célerin... Le mari, oui. Quand je voudrais ?

Il regarda Brassier tout en écoutant.

— Oui... Je ferai le nécessaire, mais il faut que je me renseigne... Est-ce encore temps cet après-midi ?... Je vous remercie...

Il raccrocha. Il n'aimait pas être bousculé de la

sorte. C'était un peu comme si on lui reprenait Annette une fois de plus.

— Qui était-ce ?

— L'Institut médico-légal... Je peux dès maintenant faire reprendre le corps...

— Qu'est-ce que tu décides ?

— Je me le demande.

— Tu veux que je te laisse réfléchir ?

— Non... Les pompes funèbres...

Il pensait aux enfants, peut-être à lui-même. Brassier devait avoir raison. Elle était morte. Allait-il la remettre dans leur lit ? Ou installer une sorte de lit de parade dans le salon ?

— Viens...

II

Peut-être avait-il eu tort d'avoir laissé le soin de la chapelle ardente aux pompes funèbres. Une chapelle ardente sans crucifix, sans la branche de buis trempant dans l'eau bénite. Il sentait bien que Nathalie lui en voulait, que les enfants eux-mêmes étaient déroutés. Et des locataires, des voisins, ne comprenaient pas, eux, qu'il n'y ait pas eu de cérémonie à l'église.

Pour beaucoup, cela n'avait pas été un vrai enterrement.

Est-ce qu'il y avait quelque chose de changé en lui? C'était difficile à dire. Jean-Jacques et Marlène ne le regardaient pas tout à fait comme ils le faisaient autrefois et il y avait dans leurs yeux une sorte de curiosité.

Il n'était plus tout à fait un homme, un père comme les autres. Il était devenu un veuf et il se sentait mal à l'aise dans ce nouveau rôle.

Jusqu'à l'enterrement, qui eut lieu au cimetière d'Ivry, Brassier s'occupa de toutes les formalités. Ce fut lui qui lui conseilla, après l'avoir lue attentivement, de signer la formule de l'assurance par laquelle il renonçait à tout recours contre les propriétaires du camion.

Si ceux qui l'observaient avec surprise pouvaient savoir à quel point il était fatigué ! Ses collaborateurs, à l'atelier, s'en rendaient compte à sa façon de travailler, sans foi, sans élan, et ils avaient renoncé à bavarder dans l'espoir de lui changer les idées.

— On va chercher une bouteille, patron ?

— Si vous voulez...

Mais il ne but pas du beaujolais que Pierrot était allé acheter.

Ce qu'ils ne semblaient pas comprendre, ce que personne ne semblait comprendre, pas même Nathalie, ni ses propres enfants, c'est qu'il ne serait plus jamais le même homme. Il se demandait comment il pouvait avoir vécu tant d'années dans une insouciance presque enfantine.

Le temps passait lourdement, tout en grisaille, avec pour centre, du lever au coucher, une personne qui n'existait plus.

C'était curieux : malgré ça, il se sentait plus proche de sa femme que de son vivant.

Il avait été un bon mari, certes, du moins en était-il persuadé. Il avait fait tout pour ça. Il n'avait jamais eu de vraies aventures avec d'autres femmes. Il aimait Annette de tout son cœur.

Il ne la contredisait pas, cédait tout de suite quand une question se posait à eux.

Maintenant, elle était comme soudée à lui à jamais et toutes les minutes qu'ils avaient vécues ensemble comptaient.

36

Des bouffées du passé lui revenaient à l'improviste et ses collaborateurs le regardaient à la dérobée comme s'il eût été un somnambule éveillé.

Leur premier voyage, par exemple, qui avait été en même temps leur voyage de noces. En dehors de Nevers et de Caen, où ils avaient leurs parents, ils n'avaient jamais voyagé ni l'un ni l'autre.

Ils avaient choisi de passer trois jours à Nice, ce qui n'était pas bien original, mais ils voulaient voir la Méditerranée.

Dans le train, il s'était éveillé avec le jour, surexcité. Il avait vu le soleil se lever sur un paysage de rêve où dominaient les amandiers en fleur.

Il n'avait vu d'amandiers que sur les calendriers et il éveilla Annette qui montra moins d'excitation que lui mais qui vint, à son côté, coller le front à la vitre.

Il y eut les premiers cactus, puis les premiers palmiers. Il lui tenait la main, qu'elle lui abandonnait distraitement, c'était maintenant seulement qu'il s'en rendait compte. Car tous ces détails étaient restés vivants, à son insu, dans sa mémoire.

Ils allèrent prendre leur petit déjeuner au wagon-restaurant et c'était la première fois aussi qu'ils s'asseyaient dans un wagon-restaurant.

— Tu es heureuse ?

— Oui.

La mer bleue, tout à coup, bleue comme sur les cartes postales, avec les petits bateaux blancs des pêcheurs.

Il découvrait, maintenant qu'elle était morte, qu'il

avait vécu vingt ans avec elle sans la connaître vraiment. Ce qu'il était en train de faire, contre son gré, c'était en quelque sorte d'essayer, après coup, de la comprendre.

L'hôtel, à Nice, donnait sur la mer. Il ne se lassait pas de la regarder, tandis que sa femme mettait les vêtements en ordre.

— Viens voir...

— Tout à l'heure...

— Il y a un grand paquebot qui passe à l'horizon...

Elle le rejoignit un instant, par politesse.

Et, le soir, il devait avoir une petite déception. Une grande déception, à vrai dire, puisqu'elle devait marquer sournoisement toute leur vie conjugale.

Il s'y était pourtant pris avec douceur, mais sans parvenir à l'émouvoir, à communiquer à sa chair le moindre frémissement. Il voyait son visage en gros plan, tout près de lui, et ce visage n'exprimait rien.

Il avait été gêné de prendre, malgré lui, son plaisir tout seul.

Mais cela n'arrive-t-il pas souvent ? Des camarades à lui avaient été dans le même cas et cela s'était arrangé les jours suivants.

— On va se promener sur la Promenade des Anglais ?

Elle disait oui sans enthousiasme. Elle ne lui en prenait pas moins le bras, marchait hanche à hanche avec lui.

— C'est beau...

Il avait peur de voir revenir la nuit. Devait-il accuser sa gaucherie, sa propre émotion ?

38

Elle ne réagissait toujours pas, mais elle lui souriait comme à un enfant.

— Je te déçois ?

— Non.

— Ce n'est pas ma faute, Georges. Je ne dois pas être faite comme les autres. J'espère que je changerai petit à petit...

— Mais oui... Surtout, ne te crée pas de problèmes...

Il était aux petits soins pour elle et, chaque fois qu'il avait un geste tendre, elle le remerciait d'un vague sourire.

On aurait pu dire que leur amour était chaste. En dehors de la chambre à coucher, elle redevenait elle-même et ce n'est que plusieurs mois plus tard qu'elle ressentit une certaine jouissance.

Malgré cela, elle continuait à s'enfermer dans la salle de bains. Il ne l'avait jamais vue dans la baignoire ou sous la douche. C'est à peine s'il la voyait parfois nue pendant quelques instants.

Elle avait repris son travail et déployait une activité extraordinaire, malgré son aspect frêle.

— Tu n'as plus besoin de travailler. Je gagne assez pour nous deux...

Il travaillait encore rue Saint-Honoré, où il était fort bien payé. Ils avaient trouvé le logement du boulevard Beaumarchais qu'ils n'allaient pas tarder à agrandir. Ils n'avaient pas encore d'enfants.

En auraient-ils ? Georges, à cette époque, commençait à en douter, et cette pensée lui donnait un pincement au cœur.

— Tu aimes les enfants, Annette ?

39

— Certainement. Est-ce que tout le monde n'aime pas les enfants ?

— Pas comme ça. Je veux dire : est-ce que tu aimerais avoir des enfants à nous, des enfants faits de notre propre chair ?...

— Pourquoi pas ?

Il n'était pas malheureux. Il n'avait jamais été malheureux jusqu'au moment récent où un képi d'agent de police s'était montré dans l'encadrement de la porte.

Il l'avait, elle. N'était-ce pas le principal ? Et, d'ailleurs, après trois ans, elle lui annonça qu'elle était enceinte. Cette fois, elle avait manifesté une animation joyeuse.

— Pourvu que ce soit un garçon...

— Fille ou garçon, ce sera notre enfant. Et nous pourrons en avoir d'autres...

— Je voudrais que le premier soit un garçon. Je n'en désire pas beaucoup : peut-être deux, un garçon et une fille...

Tout le temps qu'elle avait été enceinte, il ne l'avait pas touchée, par une sorte de respect, par peur aussi d'interrompre le travail qui se produisait en elle.

— J'espère que, quand nous l'aurons, tu ne travailleras plus...

— Les premières semaines, peut-être, mais je ne pourrais pas rester sans rien faire.

Elle ne lui demandait pas conseil. Elle décidait.

C'était le moment où ils venaient d'engager Nathalie et celle-ci avait tout de suite pris une place importante dans la maison. Annette ne s'occupait pas du ménage, ni même des menus. Elle continua à travailler dehors jusqu'au dernier mois et on aurait pu croire que c'était de sa part un défi.

Et pourtant il était heureux. Sur le moment, tout cela lui paraissait naturel. Ce n'était que maintenant qu'il y pensait en se posant des questions, en s'efforçant de découvrir la véritable Annette.

Ce fut un garçon. Il espéra l'appeler Georges, comme lui, ou encore Patrick, un prénom qui lui plaisait particulièrement.

— Non. Nous l'appellerons Jean-Jacques...

Il ne protesta pas. Il était maintenant à son compte, rue de Sévigné, associé à Jean-Paul Brassier. Quand il était jeune, il avait rêvé de devenir sculpteur. Il était arrivé à Paris avec l'idée d'entrer aux Beaux-Arts, quitte à gagner sa vie n'importe comment, fût-ce en déchargeant des cageots de fruits aux halles pendant la nuit.

Une annonce avait tout changé. On demandait un apprenti orfèvre rue Saint-Honoré et il s'était présenté, craignant que sa jeunesse ne le fasse refuser.

Quelques semaines plus tard, on lui confiait déjà des travaux délicats et après trois ans il avait remplacé le premier ouvrier qui prenait sa retraite.

Il avait connu Annette au cours d'une petite fête qu'avait donnée dans son appartement de l'avenue d'Orléans un camarade marié. C'était la première fois qu'il assistait à une fête de ce genre. Il buvait comme les autres, avec l'impression que son verre était toujours plein.

Il avait dansé au son du phonographe. A un moment donné, il s'était avancé vers une jeune fille qui restait seule à regarder les autres s'agiter.

41

— Vous dansez ?

— Non.

Elle ne se montrait pas très engageante et pourtant il s'assit à côté d'elle.

— Vous connaissez bien mes camarades ?

— C'est la première fois que je viens ici. Je n'en connais qu'un, Lypsky, le petit roux qui m'a amenée, parce que j'habite le même hôtel que lui.

— Vous êtes Parisienne ?

— Je suis née dans le Nivernais.

— Voilà longtemps que vous êtes à Paris ?

— Pourquoi me posez-vous ces questions ?

Et le vin aidant, il avait répondu :

— Il faut bien qu'on parle de quelque chose, n'est-ce pas ?

— Au moins, vous êtes franc. Cela vous est égal que je sois née dans le Nivernais ou au Pays basque...

— Vous pourriez être basquaise, en effet, avec vos cheveux noirs et vos prunelles marron... Pourquoi ne dansez-vous pas ?

— Parce que la danse ne me plaît pas... Je trouve ridicules les gens qui, face à face, se trémoussent d'une façon ou d'une autre...

— Vous travaillez ?

— Oui.

— Dans un bureau ?

— Non.

— Dans un magasin ?

— Non. Ne cherchez pas. Vous ne trouveriez pas. Je suis assistante sociale.

— En quoi cela consiste-t-il au juste ?

— A aller chez les vieillards, chez les impotents, chez les handicapés de toutes sortes... Nous choisissons les plus pauvres, ceux qui sont entièrement livrés à eux-mêmes... Nous les lavons... Nous leur préparons à manger... Nous faisons un peu de ménage...

— Ce n'est pas trop dur ?

— Non. C'est une habitude à prendre.

— Cela ne vous donne pas une idée décevante de la vie ?

— Ils espèrent tous. La plupart ont un bon moral et je n'ai pas entendu parler d'un seul cas de suicide... Ce sont les plus jeunes qui se suicident, parce qu'ils ne connaissent pas la vie...

Il aurait pu répéter mot pour mot leur entretien. A la fin il avait demandé :

— Me laissez-vous l'espoir de vous revoir ?

— Pourquoi ?

— Je suis, moi aussi, un solitaire...

Elle ne l'avait pas questionné sur ce qu'il faisait.

— J'habite l'Hôtel du Grand-Ours, rue Saint-Jacques...

Tout cela s'était passé comme en rêve, dans les vapeurs du vin. Il était persuadé qu'il ne la reverrait jamais et ne s'en tracasserait pas trop.

Elle n'était pas comme les autres jeunes filles. Elle avait choisi un métier ingrat, le plus ingrat peut-être, et elle en parlait avec enthousiasme.

Trois ou quatre semaines passèrent. Il avait oublié de lui demander son nom, mais le camarade qui avait donné la petite fête le dépanna.

— Elle s'appelle Annette Delaine... Si tu as l'intention de lui faire la cour, dis-toi bien que tu n'obtiendras rien d'elle... Tu ne seras pas le seul à avoir essayé...

— Tu la connais bien ?

— Je suis du même village qu'elle, où son père est instituteur... Nous avons été à l'école ensemble... Elle était plus jeune que moi et je la traitais en petite fille... Maintenant, je n'oserais plus...

Un soir, il avait acheté des billets de théâtre et il était allé frapper à sa porte, rue Saint-Antoine.

— Qui est là ?

— Georges Célerin...

— Connais pas...

— Nous avons causé assez longuement chez mon ami Raoul...

— Pourquoi ne m'avez-vous pas téléphoné ? L'hôtel a le téléphone, vous savez... Qu'est-ce que vous espérez ?

— J'ai deux places pour la Comédie-Française...

Il l'avait fait exprès de choisir un théâtre sérieux. Elle le regarda avec curiosité.

— Vous les avez achetées ?

Il rougit, faillit dire qu'on les lui avait données, mais finit par balbutier :

— Oui.

— Sans savoir si j'accepterais ou si je serais chez moi ?

— Oui.

— Qu'est-ce qu'on joue ?

— Une pièce de Feydeau et *Le Malade imaginaire*.

— Descendez m'attendre dans la rue. Je serai prête dans un quart d'heure.

Cela avait été le vrai commencement. Elle le tolérait.

44

Elle lui permettait de temps en temps de la conduire au théâtre ou même au cinéma quand il s'agissait d'un film exceptionnel. Ils allaient ensuite, à un comptoir, boire un verre de bière et manger un sandwich.

Il la reconduisait jusqu'à la porte de son hôtel mais il sentait bien que ce serait une erreur d'essayer de l'embrasser.

— Merci pour cette soirée, lui disait-elle en lui serrant la main comme à un camarade.

Cela avait duré plus d'un an. Il n'avait pas fait de progrès apparents mais il ne pensait plus qu'à elle. Un soir d'hiver, alors que les trottoirs étaient verglacés, elle lui avait pris le bras machinalement et il avait senti sa chaleur contre lui.

— Il y a une question, dit-il d'une voix hésitante, que je voudrais vous poser, mais je sais que vous direz non.

— Quelle question ?

— Est-ce que vous accepteriez de m'épouser ?... Je ne suis pas riche, mais je gagne bien ma vie et il est possible que je m'installe bientôt à mon compte...

— Si je disais non, vous seriez très malheureux ?

— Oui.

— Une fois mariés, vous me laisseriez continuer à travailler ?

Il avait murmuré à contrecœur :

— Oui...

— Alors, je vous réponds « Peut-être »...

— Quand est-ce que je vous revois ?

— Pas trop vite... Il faut que je réfléchisse...

Elle avait dit : « Peut-être. » Il en était tout joyeux

et ce soir-là sa chambre d'hôtel lui était apparue comme un palais.

C'était vrai qu'il projetait déjà de se mettre à son compte. Brassier ne lui avait encore parlé de rien. Il comptait louer un atelier dans le quartier des orfèvres, autour de la rue des Francs-Bourgeois. Il travaillerait seul. Au fond, l'orfèvrerie, comme il la comprenait, se rapprochait fort de la sculpture de ses anciens rêves.

Il ferait des bijoux différents du commun, différents de ceux qu'il était obligé de faire chez ses patrons. Et, petit à petit, il se constituerait une clientèle.

N'était-ce pas une chance inouïe d'avoir découvert une femme, une femme qui serait la sienne et qui le comprendrait ?

Il attendit trois semaines avant de téléphoner.

— Vous avez dîné ?

— Pas encore.

— Que diriez-vous de dîner ensemble ? Ce serait la première fois.

— Dans combien de temps ?

— Une demi-heure ? Cela vous convient ?

— Oui.

Il l'avait conduite dans un restaurant de la place des Vosges devant lequel il était souvent passé mais où il n'était jamais entré, car cela devait être un restaurant cher.

Ils étaient face à face à une petite table. Annette était un peu plus maquillée que d'habitude et elle portait une robe bleue avec un col blanc, il s'en souvenait très bien.

— Les andouillettes sont inscrites en rouge sur le

menu. Je suppose que c'est la spécialité de la maison.

— J'adore les andouillettes...

Il se souvenait de tout, de chaque mot qu'ils avaient prononcé et même du couple installé à la table voisine. Il était gros, avec une nuque épaisse et des joues couperosées. Elle était presque aussi grosse que lui et portait au doigt un diamant qui pesait au moins neuf carats.

— Vous ne me demandez pas ma réponse...

Ils buvaient du vin rosé, modérément. Cela ne leur en donnait pas moins une petite chaleur dans la poitrine.

— Parce que je n'ose pas. La soirée est si merveilleuse que j'ai peur de la gâter.

— Et si je vous disais que c'est oui ?

— C'est vrai ?

Il faillit se lever de sa chaise et aller l'embrasser sur les deux joues.

— C'est vrai. Vous êtes un brave garçon et je vous aime beaucoup. Nous serons toujours de bons camarades...

A l'époque, il n'avait pas pris garde à cette petite phrase-là. Maintenant qu'elle lui revenait, cela le rendait songeur.

— Vous êtes content ?

— Je suis le plus heureux des hommes.

— Il faudra d'abord trouver un logement.

— Je me mettrai en chasse dès demain... Quel quartier préférez-vous ?

— Celui-ci... C'est mon secteur... J'y suis habituée...

47

Elle était morte et pendant vingt ans de mariage il n'avait rien compris.

« — Nous resterons toujours de bons camarades... » N'était-ce pas ce qu'ils avaient été ?

— Cela vous ennuierait que je commande une bouteille de champagne ?

— A condition que je n'en boive qu'une coupe...

Il appela le garçon. Un peu plus tard, on leur apportait un seau en argent d'où le col de la bouteille émergeait. Il n'avait jamais commandé de champagne dans un restaurant. Il n'en avait bu qu'à deux ou trois occasions.

— A notre vie, Annette...

— A notre santé...

Ils avaient entrechoqué les verres et bu ensuite en se regardant dans les yeux.

Puis il l'avait reconduite à la porte de son hôtel. C'est elle qui avait dit :

— Aujourd'hui, vous pouvez m'embrasser...

Il l'embrassa sur les joues, ne fit qu'effleurer ses lèvres.

— Quand est-ce que je vous revois ?

— Mercredi prochain ?

— Nous dînerons encore ensemble ?

— Oui, mais pas dans un restaurant aussi cher...

A quoi elle ajouta après une pause :

— Et sans champagne...

*
**

D'évoquer ainsi ses souvenirs du passé ne l'empêchait

pas de rester attentif, malgré lui, à ce qui se passait autour de lui. Il aurait voulu que la vie soit finie, que la terre cesse de tourner parce que Annette était morte mais il avait, en arrivant dans l'atelier de la rue de Sévigné, un coup d'œil vers la baie vitrée qui découvrait un ciel qui, depuis quelques jours, restait d'un même bleu pastel, avec le rose des poteries de cheminées qui tranchait sur le gris des toits.

Il saluait chacun d'un mot gentil et ils devaient être persuadés qu'il allait mieux.

Il réalisait maintenant, à son établi, le bijou qu'il dessinait quand le brigadier était venu lui annoncer son malheur. Et il le faisait avec amour, comme s'il le dédiait à Annette.

Pour lui, elle restait vivante et parfois, quand il était boulevard Beaumarchais, il était sur le point de lui adresser la parole.

Avec les enfants, avec Nathalie aussi, il se montrait plus présent, mais il ne s'animait ainsi que par la force de l'habitude.

Un soir qu'il était seul avec son fils, celui-ci lui demanda, comme si c'était la chose la plus naturelle du monde :

— Dis-moi, père, est-ce que tu comptes te remarier ?

On sentait qu'il n'y verrait rien de mal, qu'au contraire, peut-être serait-il ravi de voir une nouvelle femme s'installer dans la maison.

— Non, fils.

— Pourquoi ?

— Parce que j'aimais trop ta mère.

— Ce n'est pas une raison pour te morfondre, seul

dans ton coin, le restant de tes jours. Il arrivera un moment, pas si lointain, où je partirai. Puis Marlène se mariera... Il ne te restera que Nathalie pour te soigner et elle est déjà vieille, elle ne pourra pas travailler indéfiniment...

— C'est gentil de penser à moi, mais personne ne remplacera ta mère...

Cet entretien l'avait surpris et surtout la façon pratique dont un garçon de seize ans envisageait la vie. C'était pourtant sa mère qui était morte et il envisageait naturellement que son père se remarierait.

Les bourgeons commençaient à éclater sur les arbres. Les hommes ne portaient plus de pardessus et les femmes circulaient dans les rues en robes claires qui donnaient l'impression qu'elles étaient plus vives.

Il se souvenait de sa découverte du quartier. A cette époque, il s'était lié d'amitié avec Jean-Paul Brassier, le premier vendeur, que tout le monde, à la bijouterie, appelait respectueusement M. Brassier car il avait une assurance impressionnante.

C'était un garçon pour qui la vie ne posait pas de problèmes. C'est à lui qu'il annonça le premier son projet de mariage.

— Toi aussi ? s'exclama Brassier.

— Tu la connais. Elle était, il y a un an, à la petite fête que Raoul donnait pour baptiser son appartement. A propos d'appartement, il faut que j'en déniche un le plus tôt possible, car nous ne pouvons nous marier sans avoir de quoi nous loger.

— Le plus pratique, c'est de t'adresser à une agence...

Quinze jours plus tard, on lui proposait le logement

50

du boulevard Beaumarchais qui lui parut merveilleux. Il ne comportait cependant que deux pièces, assez grandes il est vrai, une cuisine minuscule et une salle de bains.

— Devine la surprise que je te réserve ?

Elle lui sourit.

— Je devine.

— Qu'est-ce que c'est ?

— Un appartement. Pour ainsi dire dans le quartier. Il est aussi près de ton travail que du mien...

Il débordait de joie car il se résignait mal à rester un jour sans la voir. Il ne pouvait se passer de sa présence. S'il l'avait pu, il ne l'aurait pas quittée du matin au soir et du soir au matin.

— Où est-ce ?

— Boulevard Beaumarchais... Ce n'est pas grand, mais ce ne sera qu'un début...

Il était huit heures du soir et il ne pouvait se présenter à cette heure-là chez la concierge pour visiter. Ils dînaient dans un petit restaurant qu'ils avaient découvert rue de Béarn. Il y avait encore un vrai zinc, du papier gaufré sur les tables et on voyait, par la porte toujours ouverte, la patronne qui s'affairait dans sa cuisine.

— Tu veux qu'on y aille demain matin ?

— De bonne heure, alors, car j'ai beaucoup de travail...

Lui aussi avait beaucoup de travail mais l'appartement, c'est-à-dire leur mariage, ne passait-il pas avant tout ?

— Quelle heure ?

— Huit heures...

— Je t'attendrai à la porte de ton hôtel...

Il était sûr, maintenant, vingt ans après, qu'il avait été le seul des deux à s'exciter et il ne comprenait pas. La concierge, courte sur pattes, s'appelait Mme Molard.

— Ah ! c'est vous que ce jeune homme va épouser... Eh bien, il n'a pas si mal choisi... Vous êtes un beau brin de fille...

Elle monta avec eux au troisième étage pour leur ouvrir la porte puis elle les laissa.

— Quand les pièces sont vides, évidemment, cela ne fait pas beaucoup d'effet. Mais je vais les meubler. J'ai des économies...

— C'est bien, disait-elle en s'accoudant à la fenêtre devant laquelle le feuillage des arbres formait un rideau.

— Tu ne m'embrasses pas ?

— Si...

— Moi, je vois la chambre ici... L'autre pièce, qui est plus grande, sera à la fois le salon et la salle à manger... Au début, nous ne mettrons que les meubles indispensables, que nous remplacerons par la suite par des meubles plus beaux...

— Je vois tant de misères que je ne suis pas difficile...

Ce mot-là ne l'avait pas frappé alors, mais il lui revenait maintenant, chargé de sens.

— Dans quinze jours j'aurai tout acheté...

— Tu es si pressé ?

— Oui... Je ne vis plus qu'avec cette pensée.

Et, en effet, il s'était absenté souvent de l'atelier. Il travaillait encore rue Saint-Honoré. Le patron, heüreu-

52

sement, comprenait sa situation et ne le harcelait pas.

Il s'adressa à un grand magasin qui lui fournit presque tout ce dont ils avaient besoin.

— Et pour la lingerie ?

Il descendit au rayon lingerie, acheta des draps, des taies d'oreiller, des serviettes, des sorties de bain... Son petit capital y passa presque en entier.

Mais il pouvait se marier ! Tout était prêt.

— Viens demain matin avec moi et je te ferai une surprise...

Sur le palier, il lui demanda de fermer les yeux. Il la conduisit par la main au milieu du salon où il y avait même un poste de télévision.

— Regarde, maintenant...

— Tu as fait vite...

— Parce que rien de tout ça n'est définitif. Tu aimes les meubles anciens comme on en trouve, par exemple, chez les notaires de province ?

— Oui...

— C'est ce que nous achèterons au fur et à mesure... Je voudrais que tout soit parfait autour de toi...

Elle le regardait avec un léger sourire où il y avait une certaine tendresse mais aussi, qui sait ? une certaine ironie.

— Tu as une amie qui pourrait te servir de demoiselle d'honneur et de témoin ?

— Notre directrice est un peu mûre et chevaline...

— Ecoute. J'ai un ami, Brassier, qui est marié depuis deux ans et qui a une très jolie femme. Je te les présenterai tous les deux et tu pourrais proposer à sa femme d'être ton témoin tandis que lui sera le mien...

Eveline Brassier était plus que jolie. Elle était belle. Grande et souple, elle avait un visage délicatement modelé, encadré par de longs cheveux naturellement blonds.

Elle se mouvait avec grâce et il y avait toujours en elle une certaine lassitude, comme si elle eût été une plante de serre plutôt que de plein air.

Célerin les invita dans le restaurant de la place des Vosges. Brassier avait une Alfa-Roméo rouge dont il était assez fier mais qui ne comportait que deux places.

— Alors, quelle date choisissez-vous ?

Annette désigna Célerin.

— Demandez-le-lui. C'est lui qui prépare tout...

— La seconde partie de mars ?... Mettons le 21 mars... C'est une date facile à retenir pour les anniversaires...

Et Brassier questionna :

— Combien d'invités ?

— Nous serons nous quatre.

— Pas de famille ?

— Les parents de l'un et de l'autre vivent à la campagne, loin de Paris... Nous préférons un mariage intime...

C'est ce qu'ils eurent, entre deux autres mariages en série, à la mairie du IIIe arrondissement. Ils déjeunèrent place des Vosges et cette fois Annette ne protesta pas quand il commanda du champagne avec le dessert.

Célerin était heureux. Il ne voyait que son bonheur. Dès à présent, il allait vivre avec elle. Il la verrait tous les matins, tous les midis, tous les soirs et il dormirait à côté d'elle.

Le soir même, ils prenaient le Train Bleu pour Nice. Il continuait à exulter. Il vivait dans un rêve, malgré la froideur sexuelle de sa femme.

— Cela viendra petit à petit.

Comme, petit à petit, à leur retour à Paris, la vie s'organisa. Il n'était pas question d'avoir une bonne. Ce serait pour plus tard. Annette travaillait presque toute la journée. A midi, ils se donnaient rendez-vous dans un petit restaurant du quartier et ils finissaient par les connaître tous.

Le soir, sa femme rentrait avant lui et lui préparait un dîner simple, souvent, l'été, un dîner froid.

— Si on allait voir les parents ?

Ils prirent deux jours de congé. Le village, dans la Nièvre, était clair et gai et le père d'Annette était un grand bonhomme osseux qui portait une barbe en pointe. Sa poignée de main était vigoureuse.

— Eh bien, mon garçon, je me félicite de vous avoir pour gendre... Je ne sais pas comment vous vous y êtes pris... Je n'ai jamais pu, moi, tirer d'elle plus de dix mots d'affilée...

Une bouteille de vin blanc du pays apparut sur la table. La mère revint avec les provisions pour le dîner.

— J'espère que vous couchez ici ? Il y a toujours la chambre d'Annette, que personne n'a occupée...

Cela l'avait ému de dormir dans la chambre où elle avait passé son enfance et sa jeunesse. Le lit était étroit pour deux mais ils s'en accommodèrent.

— Je peux ? demanda-t-il en touchant la poignée d'un tiroir.

— Il ne doit plus rien y avoir là-dedans...

Si. Il y avait des cahiers, couverts d'une écriture très petite mais particulièrement régulière.

— Tu étais bonne élève ?

— J'étais toujours première de la classe...

Un papier à fleurs multicolores couvrait les murs. La commode plaisait à Célerin, mais il n'osait pas proposer de l'envoyer à Paris.

Ils repartirent au début de l'après-midi par un petit train local qui les conduisit à Nevers d'où ils prirent le train pour Paris.

Il n'était pas déçu. Rien ne le décevait alors. Il débordait de joie de vivre. N'avait-il pas été toujours ainsi ? Ce n'était pas de l'exubérance. Il ne parlait pas beaucoup. Mais il dégustait les heures comme un enfant lèche un cornet de crème glacée.

Maintenant, il connaissait ce qu'il appelait à part lui le bonheur parfait.

— Tu es heureuse ?

— Pourquoi me demandes-tu toujours ça ? Pas seulement une fois par jour mais trois ou quatre...

— Parce que je voudrais que tu sois aussi heureuse que moi...

— Je suis heureuse...

Elle ne prononçait pas ce mot-là du même ton que lui. Le soir, plutôt que de parler, elle regardait la télévision. Assis à côté d'elle, il la regardait tout autant que l'écran et cela finissait par l'agacer.

— J'ai une tache sur la joue ?

— Non.

— Alors, pourquoi te tournes-tu sans cesse vers moi ?...

56

Elle ne comprenait pas l'adoration qu'il avait pour elle. Après un an, ils n'avaient toujours pas d'enfant. Parfois, ils allaient dîner chez Brassier, avenue de Versailles. Les Brassier avaient une bonne et cela faisait mal au cœur à Célerin de ne pas pouvoir en offrir une à sa femme.

Le dimanche, les Brassier faisaient de grandes randonnées à la campagne et souvent ils partaient le samedi midi, couchant dans quelque auberge pittoresque.

Les Célerin ne pouvaient que les inviter au restaurant car, comme elle le lui avait avoué franchement avant leur mariage, Annette ne savait pas faire la cuisine.

— Juste des œufs à la coque et des œufs sur le plat...

Eux, le dimanche, erraient dans les rues, découvrant des quartiers qu'ils ne connaissaient pas, ou bien se mêlant à la foule qui descendait lentement les Champs-Elysées.

Si le temps était mauvais, ils allaient au cinéma.

Est-ce que sa femme trouvait cette vie morne ? Que pouvaient-ils faire d'autre tant qu'ils n'avaient pas de voiture ? Il se promettait d'accumuler les heures supplémentaires afin d'en acheter une, pas une Alfa-Roméo pour commencer mais une petite auto bon marché.

Elle ne se plaignait jamais. Il y avait toujours un léger sourire sur son visage, comme si elle poursuivait un monologue intérieur.

— A quoi penses-tu ?

— A rien de spécial... A toi... Aux petits soins dont tu m'entoures...

Ils allèrent chez ses parents à lui, un week-end de plein été, sous un soleil brûlant. Le train les déposa à Caen et ils durent attendre la correspondance pour un village qui n'était en réalité qu'un hameau.

La ferme était une chaumière et il n'y avait que trois vaches dans le pré où erraient une truie et ses petits.

Son père était un homme courtaud, rustique, au visage trop coloré des gens qui boivent beaucoup. Sa femme était morte et il vivait avec une vieille servante.

— Tiens ! Voilà le fiston...

Mais, dans sa bouche, avec l'accent, les mots étaient à peine compréhensibles. Le tas de fumier venait presque jusqu'à la cuisine et pourtant l'intérieur était propre.

— Et je suppose que c'est ça la femme dont tu m'as parlé dans une lettre.

— C'est ma femme, oui.

— Elle n'est pas mal. Un peu maigre à mon goût, pour dire la vérité, mais c'est quand même un joli petit morceau...

Comme si c'était un rite, il alla chercher la bouteille de calvados dans le buffet et en remplit quatre verres.

— Ça, c'est la Justine, grommela-t-il en la désignant. Quand elle a perdu son mari, elle ne savait où aller et je lui ai donné un lit dans la maison...

Justine ressemblait à un corbeau et n'osait pas ouvrir la bouche.

— Alors, à notre bonne santé à tous...

Il vida son verre d'un trait. Annette eut un haut-le-cœur car l'alcool pesait au moins soixante-cinq degrés. C'était le vieux qui le faisait quand passait l'alambic.

— Elle trouve ça fort, hein ? On voit bien que c'est une mauviette de la ville...

— Elle est de la campagne aussi.

58

— Quelle campagne ?

— Dans le Nivernais...

— Si tu crois que je sais où sont tous ces pays-là...

Il la regardait des pieds à la tête comme il aurait regardé une vache à la foire et son regard s'arrêta sur le ventre de la jeune femme.

— Pas encore de petit dans le tiroir ?

Elle rougit. Il la sentait malheureuse. Son père remplissait les verres et il avait dû en boire quelques-uns avant leur arrivée.

Il était malheureux aussi car cette visite était ratée mais ils n'en durent pas moins attendre l'heure du petit train.

— Il est temps d'aller traire, Justine...

En deux heures, son père but six verres de calvados et quand il se leva il dut se cramponner un moment à la table, tant il oscillait.

— N'ayez pas peur pour moi... Je suis encore capable de tenir la bouteille entière...

Il s'éloigna vers le pré et, quand le couple s'en alla, il ne s'en rendit pas compte, car il ronflait en plein soleil, dans les hautes herbes.

— Je te demande pardon...

— De quoi ?

— De t'avoir infligé ce spectacle... Il fallait bien venir une fois... Je ne pense pas qu'au train où il va il en ait encore pour longtemps...

— Tu sais, Georges, j'en ai vu d'autres. Je suis née à la campagne, moi aussi, et on pourrait dire que chaque village a son ivrogne invétéré... A Paris, dans mes tournées, il m'arrive d'en trouver aussi...

— Qu'est-ce que tu fais alors ?

— Je les débarbouille... Je les oblige, en leur tenant la tête s'il le faut, à boire du café chaud et je laisse quelque chose à manger sur la table.

Etait-ce, chez elle, une vocation ? Elle s'accrochait à son métier plus peut-être qu'à leur amour. Il n'osait pas la questionner sur ce point, sentant que c'était une sorte de domaine réservé.

Elle n'était pas croyante. Elle ne faisait pas ça par religion. Etait-ce par amour des êtres humains ? Ou par pitié ? Ou encore pour se sentir utile ? Il ne trouvait pas la réponse. Il ne la trouvait pas davantage aujourd'hui et, maintenant qu'elle était morte, il ne la connaîtrait jamais.

Il l'avait regardée vivre pendant vingt ans. Chaque jour, ou à peu près, il avait déjeuné avec elle. Et ils avaient passé toutes leurs soirées ensemble.

Que savait-il ? Plus le passé lui revenait, en désordre, par bouffées, et plus il se sentait dérouté. Or, il avait besoin de comprendre. Il réfléchissait. Il rapprochait les événements les uns des autres dans l'espoir de provoquer une petite lueur.

C'est pour cela qu'il fallait qu'elle continue à vivre et elle ne pouvait plus vivre qu'en lui.

Tant qu'il la garderait dans son cœur, elle ne serait pas tout à fait morte.

Pour les enfants, c'était déjà du passé et ils pouvaient parler d'elle d'un ton détaché, presque comme d'une personne étrangère. Est-ce que Jean-Jacques n'avait pas parlé, tranquillement, de la remplacer ?

60

Ce fut l'époque à laquelle Brassier lui demanda de déjeuner en tête à tête avec lui.

— Qu'est-ce qu'il te veut ?

— Je n'en ai pas la moindre idée.

— A ta place, je me méfierais. Il est trop fort pour toi. En outre, c'est un ambitieux, pour qui seul le succès importe...

III

Brassier l'avait conduit dans un des restaurants les plus élégants de Paris et Célerin s'y sentait mal à l'aise. C'était dans le caractère de son camarade. Il y avait chez lui un besoin presque enfantin d'épater. Ainsi s'habillait-il chez un des meilleurs tailleurs et ses cravates venaient-elles de la place Vendôme.

On poussa vers eux un chariot sur lequel se trouvaient plus de vingt hors-d'œuvre et Célerin ne savait que commander. Il y avait là des mets qu'il n'avait jamais vus, comme ces petits rouleaux verts qui n'étaient autres que des feuilles de vigne farcies.

Brassier jouissait-il de son trouble ? C'était possible. Cela faisait partie de son personnage.

Pendant qu'ils mangeaient les hors-d'œuvre, il ne parla que de choses et d'autres. Puis vinrent les côtelettes d'agneau, alors que Célerin n'avait déjà plus faim.

— Si j'ai voulu te parler en tête à tête, c'est que j'ai de grands projets.

— Pour qui ?

— Pour toi et pour moi. Tu es le meilleur orfèvre-joaillier de l'atelier, sinon de Paris...

Il faisait mine de protester.

— Mais si ! Mais si ! Je vends deux fois plus de tes bijoux que de ceux de tes camarades. Et encore ne te laisse-t-on pas la bride sur le cou... Tu as un style à toi, qui plaît aux clients...

Il repoussa son assiette et alluma une cigarette avec un briquet en or.

— Je me considère, moi, comme un des meilleurs vendeurs...

Et c'était vrai. Il ne se vantait pas.

— Je viens de faire un petit héritage... Une tante dont je suis le seul héritier et qui s'est privée toute sa vie pour se constituer un magot... « Pour ses vieux jours », disait-elle... Elle est morte à quatre-vingt-huit ans et elle continuait à économiser...

Brassier souriait tout en fumant sa cigarette.

— Ce que je te propose, c'est une sorte d'association...

— Je n'ai pas d'argent...

— Nous n'en avons pas besoin... Le mien suffit... Tu travailleras en chambre, comme la plupart des orfèvres et des diamantaires... J'ai déjà quelque chose en vue... Au début, nous nous contenterons d'un ou deux ouvriers et d'un apprenti...

C'était, pour Célerin, une journée quasi historique et soudain le luxe du restaurant ne le gênait plus. Il est vrai qu'ils venaient de finir une bouteille de vin et qu'on en débouchait une autre.

— Moi, je me charge de la clientèle et toi tu prends la responsabilité de l'atelier... Je te verse un salaire fixe, égal à celui que tu touches chez M. Schwartz, mais tu touches en outre un quart des bénéfices...

Célerin ne savait que dire. C'était trop merveilleux. Il avait toujours rêvé d'avoir un petit atelier à son compte, même s'il devait y travailler seul.

— Je ne te demande pas ta réponse tout de suite. Tu as quelques jours pour réfléchir. Je voudrais cependant te montrer l'endroit que j'ai déniché...

Célerin monta dans l'Alfa-Roméo que son ami avait décapotée et ils se dirigèrent vers la rue des Francs-Bourgeois. Rue de Sévigné, ils gravirent quatre étages et ce fut comme si on montrait un succulent gâteau à un enfant.

— Ici, par la suite, nous mettrons une vendeuse et nous installerons des vitrines pour exposer les plus belles pièces...

Mais c'était la grande chambre vitrée qui attirait Célerin. Il s'y voyait déjà devant son établi, avec deux ou trois compagnons.

— Tu me donneras ta réponse mercredi... Mettons jeudi, pour te donner un peu plus de temps.

Il faillit dire que c'était tout réfléchi et qu'il acceptait, mais il voulait en parler à Annette.

— La raison sociale sera Brassier et Célerin...

— Ce n'est pas juste puisque je ne fais que...

— Je sais ce que je dis...

Il ne devait pas se souvenir de ce qu'ils mangeaient pour dessert. Il attendit avec impatience le retour d'Annette. Il avait hâte de la mettre au courant de ce qui allait sans doute bouleverser leur petite vie.

— Tu sais... Je vais travailler à mon compte...

Elle le regardait avec curiosité.

— Que veux-tu dire ?

— Brassier et moi montons un atelier...

— Avec quel argent ?

— Il vient de faire un héritage... J'apporte mon travail... En plus de mon salaire, je toucherai un quart des bénéfices...

— Je suis contente pour toi.

— Nous pourrons sans doute avoir une bonne...

— Et où la logerons-nous ?

— Je ne sais pas, mais cela s'arrangera.

Un mois plus tard, la pièce d'exposition était aménagée, et l'atelier, avec des outils tout neufs.

Célerin avait embauché Jules Daven qu'il connaissait de réputation.

C'est par Daven qu'ils trouvèrent Raymond Létang.

Il avait donné son congé à M. Schwartz qui lui avait souhaité ironiquement bonne chance.

Les événements s'étaient précipités. On aurait dit que toutes les bonnes nouvelles arrivaient à la fois, comme pour les combler. Leur voisin de palier quittait le boulevard Beaumarchais pour s'installer à la campagne. Célerin put louer l'appartement et il obtint l'autorisation de faire percer une porte.

— Tu te rends compte, Annette ?

— Nous aurons de la place, oui.

L'appartement devenait presque trop grand pour eux deux.

— Quand nous aurons des enfants, nous saurons où les mettre...

Presque tout de suite, Brassier avait apporté des

66

commandes. Célerin et ses deux compagnons n'avaient pas un moment à eux.

Les vitrines se remplissaient des plus belles pièces. Au bout de l'année, ils eurent besoin d'une vendeuse, qui s'occuperait de recevoir les clients et de la comptabilité. Brassier, encore une fois, trouva Mme Coutance, que tout le monde adopta d'emblée.

Est-ce que ce n'était pas trop beau ? Célerin vivait comme dans un rêve. Il imaginait des bijoux modernes où le travail de l'or avait plus d'importance que les pierres.

Pierrot vint s'ajouter au personnel et l'entente régnait entre tous.

Brassier ne passait que tous les deux ou trois jours pour prendre livraison de bijoux qu'il allait soumettre à des bijoutiers. Il était toujours affairé, comme un homme important.

— Je suis en train de faire construire près de Rambouillet... J'en ai assez de Paris... Ma femme aussi...

— Quel endroit as-tu choisi ?

— Un tout petit bled, Saint-Jean-de-Morteau, à deux pas de la forêt... Quand ce sera terminé, vous viendrez tous pendre la crémaillère...

Célerin n'était pas jaloux. Il considérait que c'était lui qui avait la meilleure part. Il avait l'impression, à chaque nouveau bijou, de faire un pas en avant.

Ses vieux rêves de sculpture se réalisaient à une autre échelle.

Ils mirent une petite annonce dans deux journaux afin de trouver une bonne.

Il avait ajouté au texte : « Vie de famille ».

Et un nouveau miracle se produisit. Ce fut Nathalie qui se présenta la première.

— Vous êtes combien de personnes ?

— Seulement deux... Jusqu'à présent...

— J'aime les enfants, dit-elle avec son savoureux accent.

Car, bien qu'élevée en France, elle gardait un léger accent russe. Il ne lui fallut pas trois jours pour prendre les choses en main. Ce fut la cuisine qui fut transformée en premier lieu.

— Vous ne pouvez pas continuer à déjeuner au restaurant et souvent à y dîner. A ce train-là, il ne se passerait pas longtemps pour que vous souffriez tous les deux de l'estomac.

Elle avait son franc-parler et n'hésitait pas, à l'occasion, à faire preuve d'autorité.

Annette ne réagissait pas. On aurait dit qu'il n'existait pour elle que son métier et elle abandonnait le reste à Nathalie.

Maintenant, il avait de la peine à penser qu'ils avaient, au début, vécu autrement.

Lorsque sa femme fut enceinte, il ne se tint pas de joie. Il ne savait plus qui avait trouvé le nom de Jean-Jacques mais il avait tout lieu de supposer que c'était sa femme. Elle avait accouché dans une clinique où il allait la voir deux fois par jour et où il s'attardait jusqu'à ce qu'on le mette à la porte.

— Il est temps que tu partes, Georges... Les infirmières se moquent de toi...

— Du moment que ce n'est pas interdit...

C'était une clinique privée où les heures de visite

n'étaient pas fixées strictement. Il arrivait les bras chargés de fleurs, de gâteaux, et il en apportait pour les infirmières.

Etait-il possible d'être plus heureux ?

Chaque fois qu'ils se rencontraient, Brassier lui demandait des nouvelles d'Annette et de l'enfant.

— Tu le verras bientôt... D'ailleurs, rien ne t'empêche d'aller le voir à la clinique...

Ils le baptisèrent à l'église Saint-Denis-du-Saint-Sacrement et Brassier fut le parrain tandis que la marraine était la femme de Jules Daven.

Nathalie tint à ce que le déjeuner eût lieu dans l'appartement et elle fit admirablement les choses, comme si elle avait été cuisinière toute sa vie. Eveline Brassier était d'une élégance extraordinaire, comme pour une grande cérémonie.

Elle parlait peu. Elle avait l'air de vivre dans un rêve. Leur maison, près de Rambouillet, était presque achevée.

Les affaires marchaient très bien. La clientèle augmentait.

— Je n'accepte pourtant des commandes que pour des pièces originales. C'est ainsi que nous devons être connus.

Leur réputation s'étendait rapidement et Mme Coutance recevait de nombreuses visites, y compris la Papine, comme on l'appelait derrière son dos, qui était devenue la meilleure cliente.

Madame Veuve Papin, née de Molincourt... L'affaire des roulements à billes marchait sans elle et elle se contentait de toucher les bénéfices.

Elle habitait avenue Hoche et passait la plus grande partie de ses après-midi à jouer au bridge.

Tout cela constituait un univers rassurant, sympathique. Annette fut à nouveau enceinte et, cette fois, elle ne parut pas en être enchantée. Ce fut une fille, Marlène, et il y eut exactement le même déjeuner que pour Jean-Jacques, le même parrain, la même marraine.

Les Brassier venaient de temps en temps dîner à la maison et Nathalie leur préparait de la cuisine russe.

Outre son Alfa-Roméo, Brassier avait acheté un break de chasse qui pouvait contenir huit passagers. C'est dans ce break qu'il emmena un dimanche les Célerin dans sa maison de campagne.

Elle était rustique sans l'être trop et l'intérieur était intime, les meubles choisis avec un goût parfait ainsi que les tapis et les tableaux. La couleur dominante était un blanc coquille d'œuf.

Ils firent le tour de la maison. Ils n'avaient pas amené les deux bébés dont Nathalie s'occupait. Elle s'en occupait tellement qu'elle était jalouse quand Annette les prenait dans ses bras.

Célerin acheta une voiture, lui aussi, une 6 CV sans faste qui lui servait surtout à se rendre aux ventes publiques dans les environs de Paris. Il n'achetait pas beaucoup à la fois. Pas de pièces rares. De bons vieux meubles provinciaux qu'il polissait lui-même quand on les livrait.

Parfois Annette l'accompagnait, mais c'était plutôt rare. Etait-ce sa double maternité qui l'avait changée ? Son visage était plus moelleux, ses yeux souvent rieurs.

70

Elle semblait enfin jouir de la vie, en dehors du travail dans les taudis qu'elle continuait à assumer.

Elle s'habillait toujours en bleu marine, une couleur qu'elle avait adoptée une fois pour toutes, mais elle n'hésitait pas à agrémenter ses robes de colifichets.

Ce fut elle qui demanda un jour à brûle-pourpoint :

— Qu'est-ce que tu penses d'Eveline ?

— Je ne sais pas. C'est une femme qu'il est difficile de connaître...

— Tu l'aurais épousée, si elle avait été libre ?

— Non.

— Pourtant elle est belle.

— Pas autant que toi.

— Ne dis pas de bêtises. Je ne suis pas belle. Si je n'ai pas un visage ingrat, personne ne me regarde. Eveline, elle, pourrait être mannequin, ou faire du cinéma... D'abord elle est grande et mince alors que je suis plutôt petite...

— Pourquoi m'as-tu posé cette question-là ?

— Parce que j'ai pensé à elle... Elle vient rarement à Paris, deux fois par semaine, pour se rendre chez son coiffeur... Elle prend un soin minutieux de sa beauté mais elle ne voit presque personne... Elle peut passer des journées entières à faire de la musique en lisant des magazines...

— Comment le sais-tu ?

— C'est Jean-Paul qui me l'a dit...

— Il n'est pas heureux avec elle ?

— C'est peut-être la femme qu'il lui fallait... Un joli bibelot de luxe...

Il y avait des années de ça. Cela ne l'avait pas frappé

71

sur le moment. Maintenant, cela lui revenait avec une netteté stéréoscopique.

Annette lui avait donné vingt ans de bonheur. Elle ne s'en rendait sans doute pas compte, préoccupée qu'elle était presque toujours par son métier.

Ses sens s'étaient éveillés petit à petit mais il lui restait une certaine gaucherie et aussi comme un complexe de culpabilité. Il lui avait vu, alors qu'il l'étreignait, des larmes dans les yeux.

— Qu'est-ce que tu as ?

— Rien. C'est le bonheur...

Parfois Célerin avait peur du sien. Mais n'était-ce pas le cas du petit monde qui l'entourait, de Nathalie, de Mme Coutance, de ses ouvriers ?

Il n'y avait aucun grincement, aucune arrière-pensée dans leurs rapports. Les saisons passaient et Célerin les savourait toutes, aussi bien les hivers que les étés.

Les toits qu'on découvrait à travers la grande baie vitrée étaient des amis ainsi que les nuages roses ou chargés de pluie.

Vint le jour où Jean-Jacques s'assit à table avec les grandes personnes, un coussin sur sa chaise.

Puis le tour de sa sœur.

— Où sont encore passés mes poussins ? questionnait drôlement Nathalie quand elle ne les voyait pas.

Ils eurent des petits camarades qui habitaient les autres étages. Nathalie allait les promener dans le jardin des Tuileries.

Célerin prit des vacances, pour la première fois depuis qu'il était associé à Brassier. Il loua une villa à

Riva-Bella, non loin de Caen, et toute la famille s'y installa, Nathalie comprise, évidemment.

Les enfants jouaient dans le sable, Célerin et sa femme étaient allongés dans des transatlantiques et regardaient vaguement la mer.

— A quoi penses-tu ?

— A mes vieux et mes vieilles qui ne doivent pas comprendre pourquoi je ne suis pas là.

Les Brassier étaient à Cannes, où ils avaient loué un bateau.

Célerin aussi pensait à Paris, à son atelier, à ses compagnons de travail. Il nageait mal. Nathalie ne nageait pas du tout et les surveillait de la berge.

Le soir, ils avaient du sable plein les vêtements et ils devaient prendre une douche avant de se mettre au lit.

— Un jour, nous achèterons notre propre villa...

— Pour y passer trois semaines chaque été ?... Et qui la gardera pendant l'hiver ?... Il faut quelqu'un pour aérer les pièces tous les jours...

— L'endroit te plaît ?

— Pour les enfants, c'est parfait, à cause du sable. L'eau est un peu froide mais ils ne paraissent pas en souffrir ni s'en plaindre...

Ce n'était pas un ratage à proprement parler, mais presque. Il était évident qu'Annette ne s'amusait pas. Elle parlait peu. Alors qu'elle avait enfin l'occasion de jouer avec les deux enfants, elle laissait ce soin à Nathalie. Elle ne s'occupait pas de la cuisine non plus.

Son travail devait lui manquer. Elle s'y était attachée aussi étroitement que Célerin à son atelier.

Lui aussi, certains jours, trouvait les heures longues.

— Il y a un bon film au casino...

— Tu sais bien que je n'ai jamais aimé sortir le soir...

Peut-être, après tout, ne s'ennuyait-elle pas. Elle avait toujours été calme, prenant le minimum de contact avec le monde extérieur, sauf sa visite dans les taudis.

Elle devait avoir une vie intérieure intense, que son mari ne faisait que deviner.

— Avant les prochaines vacances, nous visiterons la Bretagne afin de savoir si un endroit nous plaît plus que Riva-Bella...

— Si tu veux...

Ce n'était pas de l'apathie, ni sans doute de l'indifférence. En dehors de son domaine professionnel, elle laissait aux autres le soin de décider. Il en était de même pour les menus.

— Qu'est-ce que vous désirez manger, madame ?

— Cela m'est égal... Demandez à mon mari... C'est lui, dans la famille, qui est gourmand...

Quand ils rentrèrent à Paris, ils poussèrent un soupir de soulagement. Ils retrouvaient les meubles, les objets familiers. Tout de suite, Nathalie saisit l'aspirateur afin de débarrasser les pièces de la poussière qui s'y était accumulée.

Ils dînèrent au restaurant, dans un de ces petits restaurants qu'ils fréquentaient quand ils n'étaient pas mariés.

Il se souvenait encore avec émotion du jour où elle avait dit « Oui ». Il l'avait regardée avec stupéfaction. Il ne comprenait pas qu'une femme comme elle veuille partager sa vie avec l'homme qu'il était.

74

Elle avait souri, il se le rappelait, ce qui l'avait rendu encore plus gauche.

Etait-elle plus mûre que lui ? C'était possible. En face d'elle, il se faisait toujours l'effet d'un enfant. Vis-à-vis de lui-même aussi, d'ailleurs. Il se voyait toujours enfant et il était presque surpris quand on le traitait en grande personne.

Est-ce que son métier même n'était pas comme un jeu ? Il dessinait un bijou comme un enfant dessine une maison, puis, patiemment, il le réalisait avec des outils si petits et si minces qu'ils n'avaient pas l'air sérieux.

Il était content, quand il entrait dans la boutique, de voir son nom sur la porte après celui de Brassier, puis d'apercevoir certaines de ses œuvres dans les vitrines.

Il avait créé un clip pour sa femme, une chose très simple, car elle n'aimait pas les bijoux. C'était une feuille de chêne avec un gland, mais tout était dans la façon.

Il lui avait donné l'écrin, sans rien dire, un soir après dîner.

— Qu'est-ce que c'est ?

— Regarde...

Elle avait ouvert l'écrin puis, tout de suite, elle avait dit :

— Il ne faut pas... C'est une trop belle pièce et sa place est dans la vitrine...

— Elle sera désormais sur ton corsage...

— Pourquoi as-tu fait ça ?

— Parce que j'avais envie que tu portes un bijou sorti de mes mains... Tu remarqueras qu'il n'y a pas de pierre, pas de diamants... Rien que de l'or jaune et de l'or blanc...

Elle l'avait embrassé en murmurant :

— Merci...

Elle était passée dans la chambre pour l'essayer devant la coiffeuse.

— Voilà ce que cela donne...

— Tu l'aimes ?

— Oui.

Mais, un mois plus tard, elle ne le portait plus.

*
**

Petit à petit, il se rapprochait de ses enfants. Il ne rentrait qu'à sept heures du soir, mais parfois Marlène n'avait pas fini ses devoirs et il s'efforçait de l'aider à les terminer.

Il arrivait, il est vrai, qu'il en sache moins qu'elle, car il avait quitté l'école de bonne heure.

Elle ressemblait à sa mère, dont elle avait les cheveux sombres, presque noirs, et les yeux marron où pétillaient de petites lueurs dorées.

A quatorze ans et demi, elle était déjà femme et parlait avec beaucoup de sérieux.

— Pourquoi ne sors-tu jamais le soir, père ?

— Pour faire quoi ?

— Beaucoup d'hommes vont au café, non ? Tu pourrais avoir des amis, des amies, des maîtresses. Ce n'est pas naturel que tu ne sortes pas d'ici. Ce n'est pas comme si nous étions encore des bébés et s'il n'y avait personne pour nous garder.

— Et si je n'ai aucune envie de sortir ?

— Alors, tu n'es pas fait comme les autres.

Un autre soir qu'ils étaient en tête à tête, elle lui avait demandé :

— Tu aimais beaucoup mère, n'est-ce pas ?

— Je n'ai jamais aimé d'autre femme. Pour moi, il n'y avait qu'elle au monde... et vous deux, bien entendu.

— Elle t'aimait autant que toi ?

— Peut-être, mais d'une façon différente.

— Pourquoi, après son mariage, a-t-elle continué de travailler ? Vous aviez besoin d'argent ?

— J'en gagnais suffisamment pour deux.

Il faillit ajouter sans réfléchir, en réponse à la question de sa fille :

— Pour garder son indépendance. Pour se prouver qu'elle existait par elle-même et n'était pas seulement la moitié d'un couple.

C'est une découverte qu'il venait de faire, grâce à Marlène. Annette n'aurait pas travaillé dans un bureau. Il lui fallait une occupation difficile, pénible, dont elle puisse se sentir fière.

Il se contenta de dire à sa fille :

— Elle avait besoin de se dévouer...

C'était vrai aussi, mais il n'en était pas tellement sûr. Les jours passaient et petit à petit, sans y penser, il commençait à mieux connaître Annette que quand elle était là, tout au moins certains traits de son caractère.

Il avait conscience que, de son vivant, il était tellement obnubilé par elle qu'il avait négligé ses enfants. Ceux-ci le sentaient et, de leur côté, commençaient à s'intéresser à lui.

77

Lorsque sa femme était là, tout, dans la maison, tournait autour d'elle.

Il chassait ces pensées-là comme s'il faisait ainsi injure à la morte, un peu comme s'il blasphémait.

Mais n'était-ce pas au contraire pour se sentir plus près d'elle qu'il s'efforçait de mieux la comprendre ?

Ils avaient vécu vingt ans ensemble. Cela paraît long. Et, maintenant, il lui semblait que leur première rencontre était toute proche.

Les années avaient passé sans qu'il y prenne garde. Il se complaisait dans son bonheur, dans le petit monde qui l'entourait. Il était heureux aussi bien chez lui qu'à l'atelier et il ne se posait pas de questions.

Jean-Jacques était presque aussi grand que lui. Il dépassait Nathalie d'une demi-tête et elle feignait d'en être vexée. C'était, au lycée Charlemagne, un élève exceptionnel et il préparait déjà son bachot. Célerin lui avait offert un vélomoteur afin de lui donner une certaine indépendance.

Il n'avait pas d'amis. Il ne ramenait jamais de camarades de classe à la maison.

— Est-ce que tu sais déjà ce que tu comptes faire plus tard ?

— Non.

— Pourtant, dans quelques mois, il faudra que tu te décides...

— Je ne me déciderai pas tout de suite. Je veux me donner d'abord un an pour voyager. Je compte commencer par l'Angleterre, pour me perfectionner en anglais. Puis j'irai aux Etats-Unis et peut-être au Japon.

Le soir, ils regardaient la télévision au salon, Célerin,

sa fille et le plus souvent Nathalie. Pendant ce temps-là, Jean-Jacques bûchait dans sa chambre et il arrivait qu'il vienne les rejoindre hébété à force d'être resté penché sur ses cahiers.

Marlène avait le droit de voir tous les films. N'en apprenait-elle pas plus par ses camarades de collège qu'à la télévision ?

Contrairement à son frère, elle traitait ses études avec désinvolture et ne passait d'une classe à l'autre que de justesse.

— Qu'est-ce que ça fait, puisque je passe quand même ?...

Elle avait une idée précise de la carrière qu'elle voulait faire.

— Je serai hôtesse de l'air ou mannequin...

Elle était grande et mince. Elle s'occupait beaucoup de son physique et avait plus de fards, de crèmes et de fonds de teint que sa mère.

Elle n'en était pas moins spontanée et disait crûment tout ce qui lui passait par la tête. Elle racontait entre autres les expériences de certaines de ses camarades et disait à son père :

— N'aie pas peur... Quand j'en serai là, je t'avertirai...

Il était dérouté. En même temps cela le flattait qu'elle ait autant de confiance en lui.

— Tu sais, la plupart des filles n'osent rien dire chez elles. Ce sont les pires. Toi, tu es un copain et tu comprends...

Une dépêche lui annonça la mort de son père et il prit la route de Caen, puis le chemin de son village.

Le vieux était presque noir. Justıne hochait la tête d'un air entendu.

— Je le lui avais bien dit. Cent fois, je l'ai empêché d'aller se coucher au soleil quand il avait bu...

On l'avait trouvé dans le pré, ses yeux vides fixés sur le ciel, et il ne paraissait pas avoir souffert.

— Depuis combien d'années étiez-vous avec lui ?

— Cela fera douze ans à la Saint-Jean.

— Il vous payait pour votre travail ?

— Il n'avait jamais d'argent. C'était tout juste si je pouvais lui soutirer de quoi payer l'épicier.

— Vous avez de la famille ?

— Je suis restée vieille fille.

— Qu'est-ce que vous comptez faire ?

— Au village, il n'y a pas de travail pour moi. J'irai à Caen et je ferai des ménages...

— Vous aimeriez rester dans la maison et vous en occuper comme si elle était à vous ?

— Ce n'est pas possible.

— Pourquoi ?

— Parce que cela vaut de l'argent. Et il y a les vaches...

— Vous n'aurez rien à me payer... Vous vendrez le lait pour votre compte...

Elle restait méfiante.

— Et quel profit en aurez-vous ?

— Aucun. Je ne fais jamais que vous rembourser les gages que mon père ne vous a pas versés.

— C'est bien honnête de votre part... Quand est-ce qu'on l'enterre, ce pauvre homme ?... Et qui va s'en occuper ?

Il passa voir le menuisier.

—- Il va falloir quelque chose de solide, car il est lourd, le père Célerin. Je faisais partie des hommes qui sont allés le ramasser dans le champ. Pour que tout soit régulier, on a appelé le docteur Labrousse, du village voisin...

Le temps était gris, avec de gros nuages bas qui venaient de la mer. Il se rendit à la cure. Car c'était le curé qui présidait à tous les événements du hameau.

— Vous vous souvenez que, quand vous étiez gamin, vous refusiez de venir au catéchisme ?

— Je me souviens.

— Je parie qu'à présent vous n'allez même plus à la messe. Votre père a eu une triste fin, mais il ne pouvait pas en attendre d'autre. Savez-vous que le dimanche il mettait son costume noir, avec une chemise blanche et une cravate ? Il entrait à l'église à l'heure de la messe mais dès que je montais en chaire pour le sermon il s'en allait discrètement pour entrer au bistrot d'en face...

Le prêtre était âgé et marchait avec peine.

— Je vous offre un petit calva ? N'ayez pas peur, ce n'est pas du soixante-dix degrés comme celui de votre père...

Il le gardait dans un cruchon et il en emplit des verres minuscules.

— Celui-ci ne ferait de mal à personne.

— De quoi est-il mort ?

— Je ne sais plus au juste. Je ne suis pas très fort dans les termes médicaux. On a parlé d'embolie... La mort a été à peu près instantanée, de sorte qu'il n'a pas souffert...

Le curé frôlait le verre de ses lèvres.

— Qu'est-ce que vous allez faire de la ferme ?

— Je la laisse à la disposition de Justine...

— Vous faites bien... C'est une brave femme qui s'est bien occupée de votre père... Je ne veux pas savoir si de temps en temps il n'y avait pas d'autres relations entre eux... Vous lui laissez les bêtes ?

— Oui.

— Vous êtes un homme qui comprend les choses, monsieur Célerin... Je n'ose plus vous appeler Georges, comme dans le temps... J'ai appris que vous étiez venu une fois avec votre femme... Au fait, comment va-t-elle ?

— Elle est morte dans un accident...

— Je m'excuse de vous en avoir parlé ; je ne savais pas...

Ils prirent des dispositions pour que l'enterrement ait lieu le plus tôt possible. Ce fut le jeudi. La ferme du père Célerin n'était pas loin de l'église et on hissa le cercueil sur une charrette tirée par un cheval. Le cercueil était recouvert d'un drap noir que le curé avait fourni.

Tout le village y était et il y avait beaucoup de visages que Célerin reconnaissait. De ses camarades de classe, il n'en restait guère : trois ou quatre, dont le fils du boucher, qui avait repris le commerce de son père.

— Comment vas-tu ?

— Ça va. Je n'ai pas à me plaindre. Sauf que le village commence à se vider. Les vieux meurent, comme ton père, et les jeunes sont à Caen, à Paris ou ailleurs...

L'instituteur servait d'organiste. Il était plus jeune que

Célerin. La cérémonie le laissa froid ou, plus exactement, il songeait aux générations qui se succédaient.

Le curé prononça une courte homélie et, après l'absoute, on n'eut qu'à contourner l'église pour se trouver au cimetière.

Sa mère y était déjà et on mit le nouveau cercueil dans la même tombe.

Tout le monde passa devant lui pour lui serrer la main. Enfin, après une dernière visite à Justine, il s'apprêta à monter dans sa voiture.

— Dites-moi... Je m'excuse de vous ennuyer... Ne croyez-vous pas qu'il vaudrait mieux que vous me signiez un papier ?

Il comprit, rentra dans la maison.

— Vous en avez, du papier ?

Elle en avait acheté une enveloppe, du papier ligné, très bon marché, qu'on ne trouve plus guère que dans les campagnes. Il y avait aussi une plume neuve et une petite bouteille d'encre verte.

— Il n'y avait que cette couleur-là... Mon nom est Justine-Mélanie Babeuf... J'ai soixante-deux ans...

Il rédigea une sorte de bail qui ne comportait aucune contrepartie.

— Vous dites bien que je pourrai rester ici tant que je vivrai ?

— C'est écrit...

Elle alla chercher de vieilles lunettes à monture d'acier et elle lut les quelques lignes en remuant les lèvres.

— Je suppose que c'est correct... Vous vous y connaissez mieux que moi... Je vous remercie encore et je prierai pour vous et pour votre famille...

Il avait vécu, enfant, dans cette bicoque-là. Il avait un frère et une sœur qui tous les deux étaient morts la même année d'une maladie infectieuse, il n'avait jamais su laquelle.

C'était son univers et il n'en imaginait pas d'autre jusqu'à ce que l'ambition le prenne d'aller à Paris.

Quand il rentra boulevard Beaumarchais, la radio jouait à pleine force. C'était Marlène qui aurait été capable de vivre en musique du matin au soir.

— Je te demande pardon, père...

Les premiers jours après la mort d'Annette, il avait demandé aux enfants de n'utiliser ni leurs disques ni la télévision. Pouvait-il exiger d'eux qu'ils se privent à l'infini ?

— Tu peux continuer...

— Comment est-ce que c'était ?

— Comme toujours dans les villages...

— Il y avait beaucoup de monde ?

— Tous les habitants valides.

— Ton père était populaire ?

— A sa façon. Parce que c'était l'homme qui buvait le plus.

— C'est de cela qu'il est mort ?

— Probablement.

— Tu as été très triste ?

— Très triste de revoir les endroits où j'ai passé mon enfance.

— Cela doit être pittoresque ?

— Même pas...

— Tu parais cependant abattu...

— J'ai revu aussi certains de mes camarades d'école

84

qui sont restés au pays. J'ai revu le forgeron que j'ai quitté jadis en pleine force de l'âge et qui est devenu un vieillard tout chenu, marchant avec une canne...

— Pauvre père !

— J'espère que, plus tard, beaucoup plus tard, si vous revenez un jour dans cet appartement, vous n'aurez pas la même impression... Je voudrais que votre enfance et votre jeunesse à tous les deux vous laissent des souvenirs agréables...

— Ils le seront sûrement.

Elle lui avait pris le bras et elle l'embrassa sur la joue.

— Jean-Jacques est toujours enfermé dans sa chambre à travailler. Il ne sait pas que tu es rentré.

Nathalie émergeait de sa cuisine.

— Il me semblait bien que j'entendais des voix. Vous avez fait bon voyage ?

— Plutôt pénible...

— Oui... Il y a des endroits qu'on aimerait mieux ne pas revoir...

Jean-Jacques avait les cheveux hirsutes, les yeux fatigués. Il embrassa son père sur les deux joues.

— Je suis en train de bûcher... Le bac a lieu la semaine prochaine et il y a toujours de petites choses qu'on a négligées... On mange ?

— C'est prêt, annonça Nathalie.

— Moi, à ta place, je ne me donnerais pas tant de mal. Tu es quand même sûr de passer ton bac...

— On n'est jamais sûr de rien...

Célerin était presque tenté d'approuver sa fille. Le seul reproche qu'on pouvait faire à Jean-Jacques, c'était de prendre les choses trop au sérieux, à commencer par ses études.

— J'ai des camarades, au lycée, qui s'imaginent qu'à notre âge rien n'a d'importance... Ils ne se rendent pas compte que c'est toute notre vie que nous jouons en quelques années... Qu'est-ce que tu en penses, père ?

— Je pense comme toi... A notre époque, il est indispensable d'avoir des diplômes, même si on a oublié tout ce qu'on a appris...

— Tu vois ! s'écria Marlène en éclatant de rire.

Nathalie prenait place au bout de la table, puis elle ramassa les assiettes à soupe. Il y avait des raviolis, qu'elle servait environ une fois par semaine. Jean-Jacques ne s'en préoccupait pas. La nourriture le laissait indifférent. Marlène protestait :

— Encore !... Quel jour sommes-nous ? Samedi... J'aurais dû m'en douter... Tous les samedis, nous avons droit aux raviolis...

— Pourquoi ne faites-vous pas les menus avec moi ? Vous seriez sûre de manger ce qui vous plaît...

Nathalie avait à peu près le même âge que Justine, et paraissait vingt ans de moins que la servante de son père. Ce qui était le plus extraordinaire, c'était sa bonne humeur. Elle avait passé par beaucoup d'épreuves, certaines même qu'elle évitait de raconter.

Au lieu de l'aigrir, cela l'avait décidée à prendre la vie du bon côté. Tout lui était joie, de cuisiner, de faire le ménage et jadis, quand ils étaient plus petits, de promener les enfants.

Jamais elle ne parlait de fatigue, même quand elle se mettait à faire le grand ménage, un foulard noué autour de la tête, ce qui la faisait ressembler davantage à une paysanne russe.

En somme, il n'y avait que Célerin à penser qu'il manquait une personne à table. On avait changé légèrement les places afin de ne pas laisser de vide.

Pendant les repas, Annette parlait peu. On aurait toujours dit que quelque chose la préoccupait et que, si elle avait adopté une ombre de sourire, c'était afin de cacher ses pensées.

C'était une question grave, que Célerin se posait souvent : est-ce qu'il était parvenu à la rendre heureuse ?

Il l'avait cru pendant vingt ans, parce qu'il tenait le bonheur des siens pour acquis. Ce qui l'étonnait, c'était qu'elle continue à travailler, mais il se disait qu'elle avait besoin d'activité.

Qu'aurait-elle fait, seule dans l'appartement, pendant que les enfants étaient au lycée ? Non seulement elle ne savait pas cuisiner, mais il ne l'avait jamais vue coudre. C'était Nathalie qui, le soir, faisait les raccommodages près de la lampe de la cuisine.

Si elle écoutait avec les autres, il était rare qu'elle émette de commentaire.

— Qu'est-ce que tu dis de ce chanteur, mère ?

Car c'était toujours Marlène qui interrompait le programme par ses réflexions.

— Il n'est pas mal...

— Moi, je le trouve formidable... Toutes mes amies ont ses disques... J'aimerais qu'on m'en achète pour mon anniversaire...

C'est à cela que tout son argent de poche passait.

Annette fumait la cigarette. Elle le faisait nerveusement, en la retirant sans cesse de la bouche, puis elle écrasait le mégot dans le cendrier.

— Est-ce que tu fumes chez les gens que tu vas visiter ? lui avait-il demandé une fois assez naïvement.

Elle sourcilla. Dieu sait quelle arrière-pensée elle vit dans sa question.

— Je leur porte des cigarettes, répliqua-t-elle assez sèchement. Ou encore du tabac pour la pipe...

Il n'était jamais allé dans le bureau dont elle dépendait, dans une annexe de l'Hôtel de Ville. Elle ne l'y avait pas invité et il n'avait pas osé le lui demander.

C'était toute une partie de sa vie qui lui était inconnue. Or, maintenant, il éprouvait le besoin de tout connaître d'elle afin d'en garder davantage le souvenir.

Le lendemain, il trouva non sans peine un bureau administratif dans l'antichambre duquel attendaient patiemment de vieilles gens.

Une jeune femme passa, le vit dérouté au milieu de la pièce.

— Qu'est-ce que vous cherchez ?

— Je suis le mari de Mme Célerin... J'aurais aimé parler à la personne de qui elle dépendait.

— Mme Mamin... Elle vous recevra certainement dès que la personne qui est dans son bureau sortira... Je vais lui dire que vous êtes là...

IV

Un infirme, qui marchait avec des béquilles, sortit du bureau.

— Si vous voulez entrer, monsieur Célerin, Mme Mamin vous attend...

Les murs étaient peints en vert pâle, les meubles utilitaires, en bois clair, et on s'attendait presque que la directrice fût assise sur une estrade.

Elle avait à peu près l'embonpoint de Nathalie mais elle avait la chair plus drue. Elle ne souriait pas, ce qui n'empêchait pas son accueil d'être courtois.

— Vous êtes le mari de notre pauvre Célerin ? Asseyez-vous, je vous en prie...

Il comprit que dans leur travail les assistantes sociales ne s'appelaient pas par leur prénom.

— J'avais l'intention d'aller aux obsèques mais on m'a dit qu'elles avaient lieu dans l'intimité... Je vous adresse mes plus sincères condoléances, monsieur Célerin... Vous aviez une femme exceptionnelle... J'ai vu défiler beaucoup de jeunes filles et de jeunes femmes, mais je n'en ai pas connu comme elle... On aurait dit

89

qu'elle cherchait les cas les plus difficiles et les plus rebutants...

Elle avait le visage crayeux et, au lieu des yeux bleus de Nathalie, elle les avait gris.

Célerin, impressionné, ne savait que dire. Qu'était-il venu faire ici, dans ce bureau qui tenait à la fois du local administratif et du couvent ?

Mme Mamin aurait fort bien pu faire une sœur supérieure. Elle avait pourtant gardé une certaine coquetterie, car elle portait une robe à petites fleurs, dans un tissu soyeux.

— On m'a dit qu'elle a été victime d'un accident de la circulation...

— C'est exact...

— Je ne lis pas les journaux et je ne l'ai appris que deux jours après... Où ce drame s'est-il produit ?...

— Rue Washington...

— Elle devait avoir une course personnelle à faire dans le quartier.... Il n'y a guère d'assistés dans ce quartier et, de toute façon, ce n'était pas son secteur...

— Je ne comprends pas... Quelles étaient ses heures de travail ?

Il ne savait pas pourquoi il avait posé cette question. Peut-être pour en connaître un peu plus sur la vie de sa femme.

— En principe, elles n'ont pas d'horaire fixe... Elles connaissent leur secteur, les adresses auxquelles elles doivent se rendre... Le temps qu'elles consacrent à chaque cas dépend surtout d'elles... Votre femme, par exemple, n'hésitait pas à faire le ménage chez les handicapés... Je l'ai toujours soupçonnée de mettre de

90

l'argent de sa poche pour acheter de petits extras à ses assistés... Voulez-vous voir son bureau ?

Elle se leva et il s'aperçut qu'elle avait les jambes enflées. Elle marchait avec une certaine peine. Elle ouvrit une porte, traversa ce qui devait être le vestiaire et ils se trouvèrent dans une pièce aux murs peints en vert aussi, meublée d'une immense table autour de laquelle une dizaine de jeunes femmes travaillaient.

— Elles prennent connaissance des nouveaux cas, car il y en a tous les jours...

Elle désigna une chaise vide.

— Célerin s'asseyait ici...

On lui lançait des coups d'œil curieux.

— Elle ne restait jamais longtemps, car elle avait hâte d'aller voir ses petits vieux et ses petites vieilles, comme elle les appelait...

— Vous croyez que, de sa part, c'était de la compassion ?...

— C'était du dévouement...

Il n'osait pas exprimer sa pensée. Il se demandait si, pour sa femme, ce n'était pas comme une échappatoire. Ici, elle était admirée pour son travail acharné et on la donnait en exemple aux nouvelles venues.

Pour les malheureux qu'elle allait visiter, elle était en quelque sorte tout ce qui leur restait au monde. Ils devaient l'attendre avec impatience et elle les aidait à supporter leur solitude.

— Au revoir, mesdemoiselles...

Il rentra dans le bureau de la directrice.

— Je vous remercie, madame Mamin. Je connaissais peu de chose de la vie de ma femme en dehors de la maison. Maintenant, je commence à en avoir une idée. Vous avez beaucoup de femmes mariées parmi vos collaboratrices ?

— Assez peu.

— Elles ont des enfants ?

— Généralement, elles nous quittent dès leur premier bébé...

Annette n'avait pas quitté l'assistance sociale. Elle s'était occupée de centaines d'inconnus mais, en définitive, elle avait à peine connu ses enfants.

Sa vraie vie n'était pas boulevard Beaumarchais et c'est pourquoi il lui arrivait si souvent de l'observer avec une curiosité inquiète.

Etait-ce lui qu'elle fuyait ? Il y avait des moments où il se le demandait. Ils n'avaient pour ainsi dire jamais une conversation intime au cours de laquelle on ouvre son cœur.

Il l'aimait de toute son âme. Humblement, il lui était reconnaissant de l'avoir accepté comme mari.

Ne l'avait-elle pas regretté par la suite ? Etait-elle faite pour la vie de famille ?

Il se dirigeait vers la rue de Sévigné qui n'était pas loin et l'air était déjà chaud. A mesure qu'il approchait de l'ancien hôtel particulier, il pressait le pas. Est-ce qu'il n'avait pas son refuge, lui aussi ? Qu'aurait-il fait s'il n'avait pas eu son atelier et ses compagnons ?

— Bonjour, monsieur Georges...

Tous l'appelaient ainsi, affectueusement. Mme Coutance, comme chaque matin, remettait les bijoux en place.

Les autres étaient déjà penchés sur leur établi.

92

— Vous êtes en retard, patron. Vous allez en être pour une bouteille de beaujolais...

— D'accord...

Pierrot se leva joyeusement pour descendre acheter la bouteille.

— Cela marche, ce clip ?

— Le sertissage n'est pas facile, avec ces pierres de grandeurs différentes, mais on y arrivera...

Il y avait de plus en plus de travail. Au début, les bijoux qui sortaient de l'atelier étaient surtout vendus à des bijoutiers. Petit à petit, une clientèle privée s'était formée. Des femmes riches, des hommes qui avaient un cadeau à faire et qui cherchaient quelque chose d'original, s'adressaient directement à Célerin.

C'était le cas de Mme Papin. Elle avait hérité d'une quantité incroyable de bijoux anciens. Les pierres et les perles étaient magnifiques mais les montures démodées.

Il n'avait pas d'ascenseur et elle avait passé la soixantaine. Elle avait pourtant pris goût à ces visites rue de Sévigné. Elle n'apportait qu'un bijou à la fois, comme pour faire durer le plaisir, et elle aimait bavarder avec Mme Coutance. Celle-ci avait toujours soin de fermer la porte de communication dès son arrivée, car la Papine aurait été capable de se camper derrière les ouvriers et de leur donner des conseils.

Célerin était en train de travailler pour elle. Il avait imaginé au moins trois montures différentes et il avait fini par en trouver une dont les arabesques, très sobres, mais 1900 quand même, le satisfaisaient.

Il réalisait le travail lui-même, car il avait gardé le

goût de son établi. Pendant plus de deux heures, il travailla l'or blanc qu'il avait choisi pour support et, au dernier moment, il ajouta un filet d'or jaune.

Pour bien faire, il aurait fallu un nouvel ouvrier, mais c'était la place qui manquait pour un établi de plus. Cela obligeait à refuser des commandes.

On rejetait les plus banales.

— Vous comprenez, madame, le bijou que vous avez en tête se trouve chez tous les bons bijoutiers et il vous coûtera moins cher que si nous le réalisons spécialement pour vous...

Brassier passait souvent au milieu de la matinée.

Les bijoutiers, eux aussi, leur commandaient des pièces uniques.

— J'ai vu hier Rouland et fils. Ils voudraient une douzaine de très beaux bijoux, les plus originaux possible, pour leur vitrine du George-V...

— Et quand veulent-ils ça ?

— Rapidement... Tu sais qu'ils sont toujours pressés...

— Vous entendez, mes enfants ?... Je crois que nous allons encore faire des heures supplémentaires...

Ils rouspétaient pour la forme, surtout Jules Daven.

— On peut faire ce qu'on veut ?

— A condition que cela se tienne... Dis-moi, Georges, tu ne viendrais pas dîner un de ces soirs à la maison ?

— Le soir, tu le sais bien, je suis avec les enfants...

C'était une règle qu'il s'était fixée. Même si sa fille et son fils étaient occupés dans leur chambre, il restait dans l'appartement, afin qu'ils sachent qu'il était là.

Est-ce que cela ne les rassurait pas ? Cela ne leur donnait-il pas l'impression qu'ils étaient protégés ?

Il regardait la télévision, ou il ouvrait un magazine. Quand sa fille venait s'asseoir à côté de lui, il était tout heureux.

Jusqu'à son bac, il voyait moins Jean-Jacques. Il avait à peine dépassé les seize ans, certes, mais il était déjà à moitié en dehors de la maison.

Il voulait connaître le monde et être capable, plus tard, d'entreprendre la carrière qui lui conviendrait.

Déjà la mort d'Annette avait créé un grand vide, le plus grand, dans la maison. Célerin ne s'habituait pas à rentrer seul, le soir, dans sa chambre, et il lui arrivait de caresser tendrement la place qu'elle occupait encore récemment dans le lit. Le départ de Jean-Jacques, bien que moins dramatique, créerait un autre vide.

Il ne lui resterait plus que sa fille. Mais n'allait-elle pas se marier jeune ? Trois ans, quatre ans, cela passe si vite ! Il en avait passé vingt avec Annette et il ne s'en était pas aperçu.

Il resterait seul, avec deux chambres inoccupées. Seul avec Nathalie qui n'aurait plus que lui à dorloter.

Il n'avait pas encore pensé que cela arriverait si vite. On loue un appartement. On prévoit les chambres des enfants. On les meuble avec amour. On les voit grandir et on ne prévoit pas que cette vie qu'on a organisée pour eux, autour d'eux, ne doit durer que quelques années.

— Pourquoi es-tu si triste ?

— Pour rien, ma chérie. Je pensais à votre avenir.

— C'est vrai que Jean-Jacques va partir pour l'Angleterre, puis pour les Etats-Unis ?

— Oui.

— Tu le lui permettras ?

— Si c'est sa vocation, je n'ai pas le droit de m'y opposer...

— Il a déjà fait venir les programmes de diverses universités... Pour se perfectionner en anglais il y a, à Cambridge, des écoles spéciales...

Son fils avait entretenu cette correspondance sans lui en parler. Il était devenu indépendant et Célerin ne pouvait que s'en féliciter. Il n'en restait pas moins mélancolique.

— Les cours commencent en septembre et, s'il passe son bac, comme j'en suis certaine, il compte partir à ce moment-là...

Il eut soudain les larmes aux yeux. On était au 15 juin. Septembre, c'était presque tout de suite. Il ne restait que juillet et août.

Qu'est-ce qu'ils feraient pour ces vacances ?

— Où aimerais-tu aller, cet été ?

— En tout cas, je voudrais passer quinze jours chez une amie dont les parents ont une villa aux Sables-d'Olonne...

— Pourquoi ne l'as-tu jamais amenée ici ?

— Je ne sais pas. Ils ont un très grand appartement place des Vosges. C'est très gai, chez eux, car Hortense a cinq frères et sœur... Ce sont les Jourdan... Tu connais peut-être... Le père est un grand avocat... Ils ont cette villa depuis longtemps et Hortense y allait déjà quand elle était toute petite... Ils sont riches...

96

Elle a un frère de dix-huit ans qui a déjà sa voiture et quand elle aura l'âge de conduire elle aura la sienne aussi...

Il avait un pincement au cœur. Il gagnait largement sa vie. Ils ne manquaient de rien. Mais il n'était pas très riche.

Il ne s'était pas encore rendu compte que les enfants font des comparaisons qui ne sont pas toujours favorables à leurs parents.

— Tu as dû entendre parler de lui... Il a plaidé dans des procès célèbres, entre autres, récemment, dans celui de Trassin, l'auteur du rapt du petit Julliard...

Il avait vaguement lu cette histoire dans les journaux qui en avaient fait des manchettes.

— C'est un bel homme, encore jeune, avec les tempes grises qui le rendent plus séduisant... Il a beaucoup de maîtresses...

— Comment le sais-tu ?

— Parce qu'il ne s'en cache pas... Sa femme est au courant et ne s'en inquiète pas du moment que c'est toujours à elle qu'il revient...

— Et ses enfants ?

— Les plus grands en sont plutôt fiers... C'est agréable d'avoir un père qui a du succès...

Elle se rendit compte qu'elle avait gaffé.

— Ainsi toi, n'est-ce pas flatteur de penser que les élégantes portent presque toutes tes bijoux ?...

Elle lui prit la main qu'elle serra très fort.

— Tu es un chic type, tu sais, père... Je ne passerai que deux semaines de vacances chez eux... Ensuite je serai avec toi... Où comptes-tu aller ?

— Tu aimerais la Côte d'Azur ?

Elle battit des mains.

— A Saint-Tropez ?

— Non... C'est un peu bruyant et nous serions perdus dans un public trop différent de nous... J'ai pensé à Porquerolles...

— Je ne suis jamais allée dans une île...

Jean-Jacques les rejoignit, sans veston, le col de la chemise ouvert. Depuis quelques mois il se rasait régulièrement.

— Vous avez l'air bien agités, tous les deux... Je vous entendais de ma chambre...

— Nous parlions des vacances...

— Et quel projet avez-vous concocté ?

— Moi, je dois passer deux semaines chez Hortense, aux Sables-d'Olonne...

— C'est cette grosse fille dont le père est avocat ?

— Oui...

— Et ensuite ?

— Père propose l'île de Porquerolles...

— Chic ! Je pourrai faire de la pêche sous-marine... A condition que je passe mon bac et qu'on m'offre à cette occasion le matériel nécessaire...

— Je te l'offrirai...

Célerin avait du temps à rattraper. Il avait mis tant d'années à découvrir ses enfants !... Seule sa femme avait compté... Il les embrassait distraitement et se contentait d'échanger quelques phrases avec eux.

— Je parie, dit Jean-Jacques à sa sœur, que tu lui as parlé de Cambridge...

— Je ne devais pas ?

98

— J'aurais préféré le faire moi-même... J'ai reçu les prospectus d'une dizaine d'écoles... La meilleure donne des cours avancés et après six mois on peut passer les examens de l'université de Cambridge...

— Ensuite, les Etats-Unis ?

— Je ne sais pas encore dans quelle université américaine j'irai... Il est très difficile d'être admis dans les meilleures... Harvard m'aurait plu, mais je n'y compte pas trop, étant donné le nombre de candidats... Sur la côte ouest, il y a Berkeley et Stanford qui me tentent...

Célerin écoutait ces paroles d'un autre monde. On ne lui demandait pas son avis. Encore heureux qu'on le mette au courant.

— Quelle branche choisiras-tu ?

— Sans doute la psychologie et peut-être les sciences sociales...

Etaient-ce les activités de sa mère qui lui avaient mis cette idée en tête ?

— Excusez-moi, mes enfants, mais je vais me coucher... A propos, dimanche, je serai absent toute la journée.

— Où vas-tu ?

C'étaient eux qui lui demandaient des comptes. Ils étaient tellement habitués à savoir tout ce qu'il faisait que cela leur paraissait naturel.

— Je vais chez Brassier... Ils ont deux ou trois invités... Ils inaugurent leur swimming-pool...

— Tu as de la chance d'aller nager...

Il les embrassa au front, comme chaque soir.

— Ne vous couchez pas trop tard...

— J'en ai encore pour une petite heure de travail...

— Bonne nuit, mes enfants...

Il alla dire bonne nuit à Nathalie qui épluchait des pommes de terre pour le lendemain.

— Bonsoir, monsieur Georges...

Et c'était alors le moment le plus dur de la journée : pousser la porte de la chambre à coucher vide où il n'y avait plus qu'un seul oreiller sur le lit.

Ce soir-là, il eut un sentiment plus aigu de sa solitude. Cela ne le tentait plus d'aller à Saint-Jean-de-Morteau, chez les Brassier.

Les relations étaient restées cordiales, mais il n'y avait jamais eu entre eux une véritable amitié. Célerin, au fond, était un humble qui se souvenait de ses origines et qui était heureux du pas qu'il avait fait en avant. Il n'en souhaitait pas davantage. Il aurait été gauche et gêné dans un autre milieu que le sien.

Ses enfants allaient monter un échelon. Jean-Jacques parlait tout naturellement de Harvard ou de Berkeley. Quand il reviendrait, s'il revenait un jour, ce serait un homme, un étranger, qui regarderait avec curiosité l'appartement de sa jeunesse comme lui-même avait regardé la bicoque paternelle.

Brassier était un ambitieux. Il était le fils d'un quin-caillièr de Nantes, mais il avait coupé toutes attaches avec son passé. Il était sûr de lui et sans doute avait-il choisi Eveline pour sa beauté et son élégance.

Car elle n'avait que ça. Il la revoyait sur son divan, langoureuse, avec ses cigarettes et ses disques.

Il n'en prit pas moins, le dimanche matin, la route de Rambouillet. Jean-Jacques avait décidé de travailler toute la journée et il n'y aurait que Nathalie pour

100

déjeuner avec lui, car Marlène mangeait chez les Jourdan.

Encore une dispersion. Il y pensait beaucoup trop et, quand il n'y pensait pas, il en revenait immanquablement à Annette.

La villa blanche rappelait un peu Ermenonville et dès qu'il sortit de voiture Célerin entendit des cris joyeux.

Brassier lui avait parlé de trois ou quatre personnes et il y en avait plus d'une dizaine dans la piscine et dans les fauteuils qui l'entouraient.

— Je suis content que tu sois venu. Tout à l'heure, quand l'animation sera calmée, je te parlerai d'un projet... Va vite te mettre en maillot de bain...

Il avait apporté son maillot et il se dirigea vers le vestiaire. Il était difficile de faire les présentations alors que la plupart des invités nageaient. Il se mit à l'eau, lui aussi. Il ne nageait que la brasse, alors qu'autour de lui presque tout le monde nageait le crawl. Il avait honte du petit ventre qui lui était venu faute d'exercices.

La plupart des invités étaient déjà brunis, d'être allés dans le Midi ou à la montagne.

Ce que Célerin leur enviait, c'était leur assurance. Que ce soient les jeunes femmes ou les hommes d'un certain âge, qui avaient plus de ventre et d'estomac que lui, on sentait que rien ne les troublait.

Il reconnut un grand bijoutier des Champs-Elysées pour qui il lui était arrivé de travailler mais le commerçant, lui, ne le reconnut pas.

Ils s'interpellaient presque tous par leur prénom.

— Avec quelle voiture es-tu venu, Harry ?

Les voix se juxtaposaient.

— Tu as encore embelli, Marie-Claude...

— Ne m'en parle pas... Je n'y suis pour rien... C'est le travail de mon masseur...

Eveline Brassier se montra la dernière. Elle avança d'une démarche onduleuse, son corps à peine caché par un bikini minuscule.

— Ne vous dérangez pas, mes enfants. Bonjour à tout le monde. On s'occupera des mondanités tout à l'heure.

Et, s'avançant sur le plongeoir, elle fit un plongeon parfait.

*
**

Ce fut, pour Célerin, une journée pénible. Il se sentait dans un milieu hermétique dans lequel il était impossible de pénétrer. Il n'en avait d'ailleurs pas envie.

On avait installé un bar sur la terrasse. Les uns après les autres, les invités allaient se rhabiller. Il fut un des premiers à le faire, car il avait honte de son corps qui paraissait blême à côté de tous ces corps bronzés.

— Champagne ? Martini sec ?

Un maître d'hôtel en veste blanche et en gants blancs officiait avec un air de suprême détachement.

Les femmes portaient des shorts colorés ou des pantalons en tissu presque transparent. Les hommes, pour la plupart, étaient en polo, et il était le seul en tenue de ville.

De temps en temps, Brassier, comme s'il avait pitié de lui, venait lui donner une bourrade amicale.

102

— Ça va ? Demande tout ce que tu veux...

Ou encore il le présentait à quelqu'un qui passait et qui s'éloignait après quelques phrases polies.

Il attrapait des bribes de conversation. On parlait beaucoup de chevaux. Un couple revenait des Bahamas et une très jeune femme avouait en feignant de rougir qu'elle venait de terminer un roman.

Eveline jouait à la perfection son rôle de maîtresse de maison et il admira son aisance. Il n'y avait plus trace de sa langueur habituelle. Elle portait des pantalons fendus jusqu'aux hanches, avec un chemisier blanc qui se nouait juste au-dessous de la poitrine.

Les cocktails succédaient aux cocktails et les coupes de champagne aux coupes de champagne, de sorte que les voix montaient d'un ton. Un garçon passait de groupe en groupe et présentait des bouchées de toutes sortes, au caviar, au fromage, aux anchois...

Célerin se tenait à l'écart, morose, en se demandant ce qu'il faisait là. Il n'enviait pas Brassier. Il n'enviait pas ses invités non plus qui, pour la plupart, n'avaient même pas remarqué sa présence.

La salle à manger était claire, les meubles blancs comme les murs et comme la longue table éblouissante de cristaux. Devant chaque couvert, il y avait quatre verres.

Un garçon ne cessait de les remplir de vins différents dont il murmurait le nom d'une façon incompréhensible.

L'entrée était un saumon froid, immense, sur un grand plateau d'argent, et sa décoration provoqua quelques applaudissements.

On servit ensuite un agneau entier, cuit à la broche au fond du jardin.

Il se trouvait entre deux femmes qu'il ne connaissait pas et il ne savait que leur dire. L'une d'elles était jeune et conversait avec animation avec son voisin de gauche. L'autre était une assez vieille dame, la seule de l'assistance, et elle paraissait aussi isolée que lui.

— Il y a longtemps que vous connaissez les Brassier ? lui demanda-t-elle pour dire quelque chose.

Elle le regarda en souriant et ce n'est que plus tard qu'il s'aperçut qu'elle était à peu près sourde.

Les cigarettes étaient déjà sorties de leurs étuis en or quand on servit la bombe glacée et le champagne refit son apparition.

Célerin buvait peu, une gorgée de chaque verre, et il n'en avait pas moins le feu aux joues. Il y avait des plats pleins de petits fours mais rares étaient ceux qui y touchaient.

Il y eut enfin comme un signal. C'était Eveline qui se levait et tout le monde la suivit, se dirigea vers la terrasse et vers le jardin.

Brassier arrêta Célerin au passage.

— Je te présente M. Meyer, le Meyer des Champs-Elysées pour qui tu as souvent travaillé sans le savoir...

— Enchanté.

Il reconnaissait le nageur au ventre énorme et au crâne chauve qu'il avait remarqué dans la piscine. Il portait un polo jaune qui moulait de véritables seins dont une femme aurait pu être jalouse.

— M. Meyer voudrait avoir une petite conversation

avec nous. Je crois que le seul endroit où nous ne serons pas dérangés est le boudoir de ma femme...

Ils gravirent l'escalier à la rampe de fer forgé. En passant, Célerin entrevit un lit recouvert de satin blanc. C'était le blanc qui dominait dans la maison.

— Par ici...

Le boudoir, par contre, était bouton-d'or, meublé en Louis XV.

— Je ne me suis pas installé de bureau ici parce que j'y viens pour me reposer et que je ne voudrais pas être tenté de travailler... Asseyez-vous, je vous en prie...

Les deux fenêtres étaient ouvertes et on entendait comme une simple rumeur les voix des invités.

M. Meyer avait allumé un cigare comme si c'était une opération délicate et très importante.

— Qui est-ce qui parle ? demanda-t-il à Brassier.

— Le mieux, c'est que ce soit vous...

— Soit.

Il se tourna vers Célerin.

— Je suis un grand admirateur de vos bijoux et je ne suis pas le seul. Mes meilleures clientes me demandent toujours si je n'en ai pas de nouveaux... C'est moderne... Cela va admirablement avec la mode... Et cela rompt avec la monotonie des bijoux classiques où c'était la pierre qui comptait le plus... Il s'agissait de mettre en valeur un diamant ou une émeraude, un rubis... Chez vous, tout compte, et vous avez des bijoux admirables sans aucune pierre...

Il tira avec satisfaction sur son cigare et un peu de fumée se dessina sur le bleu du ciel.

— Voilà pour les compliments. Maintenant, venons-en à mon idée. J'ai, à Deauville, une boutique poussiéreuse qui me coûte plus cher qu'elle ne me rapporte... On ne va pas à Cannes, à Deauville, ou à Saint-Tropez, pour acheter une pierre importante... Il faut trouver autre chose... Et, justement cette autre chose, c'est vous qui la fabriquez...

« J'en ai déjà parlé à Brassier qui vient me voir toutes les deux semaines dans mes magasins des Champs-Elysées. Mon idée serait de faire de la boutique de Deauville quelque chose de complètement distinct de ceux-ci... »

S'il n'avail pas un cheveu, il avait d'épais sourcils et des poils lui sortaient du nez et des oreilles. Il était content de lui ; renversé en arrière dans son fauteuil, il regardait Célerin comme s'il lui faisait le plus grand cadeau de sa vie.

— Bref, je vous propose de nous associer tous les trois... Vos bijoux portent la griffe Brassier et Célerin... Les clients et les clientes y sont habitués... Il ne faut pas les dérouter en y ajoutant le nom de Meyer...

« Je ne serai, en somme, que le bailleur de fonds... Je paie l'aménagement de la boutique, qui doit être très gaie... Nous y mettrons deux jolies filles élégantes, voire une seule pour commencer... Vous fournissez les bijoux et vous pouvez les concevoir aussi modernes que vous voulez...

« Nous dressons un contrat d'association. 50 % pour moi et 50 % à vous partager...

« Je ne demande aucune exclusivité. Vous conservez votre clientèle, aussi bien des bijoutiers que des particuliers... »

106

Brassier regardait Célerin avec une certaine inquiétude. Est-ce que l'idée ne viendrait pas de lui ?

— Qu'est-ce que vous répondez ?...

— Je ne sais pas, murmura-t-il.

— Je n'essaie pas de vous influencer. Je m'y connais en commerce, tout le monde vous le dira, et je n'ai jamais fait une mauvaise affaire. Je connais à peu près votre chiffre d'affaires... Je suis certain qu'avant deux ans il sera quadruplé...

Brassier s'empressa d'intervenir.

— En ce qui nous concerne, dit-il, nous partagerons nos cinquante pour cent moitié-moitié...

— Dans notre publicité, il sera bien spécifié que chaque bijou est une œuvre unique...

Si Célerin avait pu s'analyser à ce moment, il aurait découvert que son sentiment dominant était la gêne.

Ce qu'on lui proposait était une véritable petite fortune. Ils étaient deux qui avaient besoin de lui et qui attendaient sa réponse avec inquiétude.

Car enfin, ces bijoux personnels, c'était son œuvre à lui. Et parfois il était cinq à dix jours à se torturer à la recherche d'un motif qui lui échappait.

Il ne connaissait pas Deauville, mais il connaissait la maison Meyer, aux Champs-Elysées, qui était une des meilleures de Paris et qui avait une succursale à Londres et une autre à New York.

— S'il le faut, fit Brassier, nous prendrons un ou deux ouvriers de plus...

— Et où les installerons-nous ?

— On peut toujours trouver un plus grand atelier...

Non ! Il n'en était pas question. C'était dans cet

atelier qu'il avait commencé et c'est dans le même atelier qu'il continuerait à travailler.

— Je peux faire dresser le contrat ?

Ce fut plutôt par lassitude qu'il céda. Il ne dédaignait pas l'argent. Il en aurait besoin pour les études de son fils et de sa fille. Il avait entendu dire que les universités américaines sont extrêmement coûteuses.

— Soit ! dit-il, le cœur gros. Mais il est bien entendu que je ne ferai pas de la série.

— C'est justement parce que je ne veux pas de la série que je m'adresse à vous... J'ai déjà cherché une enseigne, mais je ne l'ai pas trouvée... Quelque chose comme : « Le Bijou Personnel »...

— Nous trouverons, affirma Brassier. Vous pouvez faire dresser le contrat, monsieur Meyer, sous forme d'un contrat d'association... Donnez-nous un coup de fil quand il sera prêt et nous irons le signer...

Le gros homme cachait mal sa satisfaction. On aurait dit qu'il venait de se procurer enfin un Renoir ou un Picasso dont il avait envie.

— J'allais vous demander ce que je peux vous offrir pour fêter ça... J'oubliais que je ne suis pas chez moi...

Il tint à leur serrer la main avec effusion à tous les deux. Puis ils descendirent. M. Meyer se tint debout derrière trois joueurs de gin-rummy devant lesquels de gros billets s'accumulaient.

— On peut entrer dans le jeu ?

— Dans quelques minutes...

Il alla chercher une chaise et s'y laissa tomber avec un soupir de satisfaction, comme si sa petite opération du boudoir l'avait épuisé.

— Tu viens un moment ?

Brassier entraînait son associé vers le fond du jardin. Des invités jouaient aux boules. Ils trouvèrent un coin tranquille derrière un bouquet d'arbres.

— Qu'est-ce que tu en dis ?

— Je ne sais pas encore.

— C'est une fortune pour toi et pour moi. Et cela n'enlève rien à notre indépendance. Le vieux Meyer n'y perdra pas, certes. C'est un malin. Il y a longtemps que je le connais... Mais, en fin de compte, c'est nous qui faisons la meilleure affaire. Dès que le contrat sera signé, il faudra que je fasse un tour à Deauville afin de jeter un coup d'œil à la boutique et de voir ce qu'on peut en tirer...

Il tapa amicalement sur l'épaule de Célerin.

— Tu verras... Nous irons loin, tous les deux... Pense encore à l'atelier... Je doute que vous vous en sortiez à travailler seulement à trois compagnons.

Il préféra ne pas commencer une discussion. Il n'était pas fier de lui. Il ne savait même plus pourquoi il avait dit oui. C'était un peu de son indépendance, de sa fierté d'artisan qu'il venait de vendre.

— Je crois que je vais rentrer. Jean-Jacques doit être seul à la maison.

— Comment va-t-il ?

— Il prépare son bac et, dès septembre, il ira étudier en Angleterre.

— Pour longtemps ?

— Six mois, si je ne me trompe... Il veut perfectionner son anglais avant d'entrer dans une université américaine...

109

Brassier le regardait avec une certaine stupéfaction.

— Il en est déjà là ? Je revois encore le gamin qu'il était il y a peu de temps... Il était passionné de bateaux et il construisait des modèles réduits... Et Marlène ?

— Je crois qu'après son bac elle s'envolera, elle aussi...

— Comme ça va vite !

— Oui... On ne pense pas au lendemain, ou plutôt le lendemain paraît très loin, puis soudain on l'a en face de soi... Tu m'excuseras auprès de M. Meyer... Quant à tes autres invités, ils ne me connaissent pas et ils ne s'apercevront pas de mon absence...

— Bonsoir, vieux... Merci d'être venu...

Il retrouva sa petite voiture parmi les autos de sport et les grosses limousines. Deux chauffeurs en uniforme mangeaient des petits fours que la cuisinière leur avait sans doute apportés et ils mirent la main à leur casquette.

Les routes étaient encombrées. Le soleil était chaud. Il regarda la place, à côté de lui, où Annette aurait dû être assise. Elle n'avait jamais voulu apprendre à conduire, sous prétexte qu'elle était trop distraite.

C'était vrai. Elle faisait quelque chose, n'importe quoi, et en la regardant avec attention, on s'apercevait que sa pensée était loin.

Parfois Célerin lui demandait soudain :

— Tu es là ?

Elle tressaillait, le regardait comme si elle sortait du sommeil.

— Pourquoi me demandes-tu ça ?

— Parce que tu avais l'air d'être à cent lieues d'ici...

Est-ce qu'Annette lui aurait conseillé de signer ce contrat ? Elle lui parlait rarement de ses affaires. Quand il lui décrivait un bijou auquel il travaillait, elle était distraite. Elle disait :

— Oui... Oui... Cela doit être joli...

Il rageait. Il avait vécu vingt ans avec elle et il ne l'avait pas vraiment connue. Etait-ce sa faute à lui ? Etait-il trop pris par son travail ?

Ou bien était-ce elle qui continuait silencieusement sa vie personnelle ?

Il mit longtemps pour gagner Paris, à cause des encombrements. Encore étaient-ils moins importants que s'il était parti plus tard.

Il n'avait pas envie de s'acheter une villa, comme Brassier. Il se sentirait mal à l'aise dans des vêtements coupés par de grands tailleurs. L'appartement était meublé et tout ce qu'on pouvait encore y ajouter c'était un tableau ou deux.

Peut-être une voiture un peu plus grande, un peu plus rapide, pour faire plaisir à sa fille ? Il se promettait, dorénavant, de s'occuper d'elle davantage. Pourquoi, le dimanche, ne pas aller faire de grandes randonnées ? Ils pouvaient partir le samedi midi, coucher dans une auberge pittoresque...

Il rêvait. Il savait que la réalité était tout autre, que sa fille, comme son fils, avaient leur vie propre et qu'ils s'amusaient mieux avec des camarades de leur âge.

Ils l'aimaient bien tous les deux, mais ils devaient le considérer comme un original, comme une sorte de maniaque casanier qui vivait en marge de la vraie vie.

En cela, était-il si différent d'Annette ? Il avait son atelier, son petit monde qui formait, autour des établis, comme une famille. Annette, elle, sacrifiait tout à ses vieillards et à ses impotents.

Les mêmes pensées lui revenaient toujours, lancinantes comme une migraine.

Pourquoi ?

S'ils avaient vécu tous les deux comme un couple normal, ils auraient sans doute consacré plus de temps aux enfants. Mais ils ne formaient pas un couple normal. Jamais, par exemple, il ne leur arrivait de s'embrasser en dehors du matin et du soir.

Jamais non plus il n'avait vu sa femme prendre son bain et elle préférait qu'il ne soit pas dans la chambre à coucher quand elle s'habillait ou se déshabillait.

Il la revoyait dans le restaurant de la place des Vosges, la première fois qu'elle avait accepté de dîner avec lui. Elle paraissait toute frêle, toute fragile.

Elle le regardait avec de grands yeux où il y avait une certaine crainte.

Il aurait voulu la prendre dans ses bras, lui dire que la vie à deux était exaltante, la supplier de ne pas avoir peur.

Plus tard, elle devait prendre plus d'assurance, mais il était sûr, à présent, qu'elle ne s'était jamais livrée entièrement à lui. Il était son mari. Elle l'aimait bien. Ils avaient deux enfants qui ne leur donnaient aucun souci et ils avaient eu la chance de trouver cette perle de Nathalie capable d'aplanir toutes les difficultés.

Il avait besoin de comprendre. Pour cela, il fouillait

dans sa mémoire, à la recherche de petits faits significatifs.

Quand elle était à la clinique pour la naissance de Jean-Jacques, par exemple... Le premier jour, il n'avait fait que toucher la joue de l'enfant du bout des doigts, avec l'impression que sa femme le surveillait...

Et, en effet, le troisième ou le quatrième jour, il avait voulu poser un léger baiser sur le front du bébé.

— Il n'est pas recommandé de les embrasser, avait-elle dit.

— Mais toi ?

— Je suis sa mère...

Comme si l'enfant n'était pas autant à lui qu'à elle.

Elle avait tenu à allaiter, mais elle ne le faisait jamais devant lui et se retirait dans la chambre à coucher.

Qu'est-ce que cela signifiait ? Il en avait été de même avec Marlène. C'était elle qui avait choisi le prénom des enfants. Elle avait dit simplement :

— Nous l'appellerons Jean-Jacques...

Puis :

— Nous l'appellerons Marlène...

Et il avait compris que ce n'était pas la peine de discuter. Au moment même, cela lui semblait naturel. Quand ils étaient bébés, elle leur avait consacré tout son temps et on aurait dit qu'elle était née pour avoir une famille nombreuse.

Après quelques mois, elle reprenait son activité à l'extérieur et elle les confiait à Nathalie.

Pas à lui : à Nathalie.

Est-ce qu'elle n'avait pas confiance ? Avait-elle quelque chose à lui reprocher ?

Il trouva son fils qui, dans le salon, jouait de la musique à toute pompe.

— Un instant...

Il arrêta le tourne-disque.

— J'avais besoin de me délasser. Ce que je peux me réjouir d'être deux semaines plus vieux...

— Cela n'arrive qu'une fois dans la vie.

— Tu crois ça ? Selon l'université où je m'inscrirai, j'aurai peut-être des examens d'entrée à passer... Et cela, cette fois, dans une autre langue que la mienne...

— Puis-je te demander pourquoi tu préfères faire tes études en Amérique ?

— Afin de connaître les deux continents... Peu importe la faculté que je choisirai, ce sera de toute façon une expérience bénéfique...

— Tu pourras venir nous voir pendant les vacances ?

— Si tu as les moyens de me payer le voyage... répondit-il en souriant.

— Hier, je n'aurais pas pu te l'assurer... Aujourd'hui, je viens de traiter une affaire qui me rapportera assez gros...

— J'espère que tu restes à ton compte et que tu gardes ton atelier ?...

Jean-Jacques y était allé souvent et, enfant, il était émerveillé par la multitude d'outils minuscules et par la vue sur les toits de Paris.

— C'est chic, ici...

— Oui, fils. Je conserve mon indépendance ; en même temps, je suis associé avec le plus gros joaillier de Paris pour monter une boutique à Deauville... Une boutique qui ne vendra que nos bijoux...

114

— Et Brassier ?...

— Nous restons associés, bien entendu...

— Pour Deauville aussi ?

— Pour Deauville aussi...

Cela ne parut pas faire plaisir à son fils.

V

Maintenant, quand il entrait dans l'atelier, les conversations cessaient brusquement, puis chacun le saluait avec moins de familiarité qu'avant. N'était-ce pas par une sorte de respect, celui qu'on éprouve pour un homme dans le malheur et pour qui on ne peut rien faire ?

Il s'en rendait compte mais était incapable de réagir. Il aurait pu se forcer à bavarder, mais ce n'était pas dans son caractère de feindre.

Qu'est-ce qui l'écrasait de la sorte ? Il aurait pu répondre :

— Tout !

La mort de sa femme d'abord, cette place qu'il sentait toujours vide à côté de lui. Cela commençait le matin, quand il s'habillait. Il y avait encore la brosse à dents d'Annette dans un verre. Puis, quand il ouvrait la grande armoire normande pour y prendre son complet, il voyait dans la partie de gauche les vêtements de sa femme.

Nathalie avait attendu quelques semaines avant de lui demander :

— Qu'est-ce qu'on en fait, monsieur ? Il y a tant de pauvres femmes qui en ont besoin...

— Je veux qu'on laisse chaque chose en place...

Sa brosse, son peigne... Il y avait partout, dans l'appartement, de menus objets qui avaient appartenu à Annette...

Marlène, qui était aussi grande que sa mère, avait demandé si elle pouvait prendre ses pull-overs et elle avait été surprise du refus qu'elle avait essuyé.

— Mais puisque cela ne servira plus ?...

Il semblait à Célerin que tant que les affaires de sa femme restaient à leur place, il y avait un peu d'elle dans l'appartement. Parfois, il se retournait soudain, croyant qu'elle venait de lui parler.

Une pensée était particulièrement lancinante. Celle qu'il avait vécu avec elle pendant vingt ans sans la connaître.

N'était-ce pas sa faute à lui ? N'était-il pas incapable de rendre une femme heureuse ? Il tenait pour acquis qu'ils s'aimaient et cela lui suffisait. Il ne se demandait pas si elle n'aurait pas préféré une autre existence, s'il n'aurait pas dû l'entourer de plus d'attentions.

Il était pris par son atelier. Elle était prise, elle, par son rôle d'assistante sociale et, quand arrivait le soir et qu'ils se retrouvaient, ils n'avaient rien à se dire.

Ils étaient un peu comme deux locataires d'une pension de famille qui se retrouvent à l'heure des repas et qui mangent en silence pour se réfugier ensuite devant la télévision.

Connaissait-il mieux ses enfants ? Jean-Jacques allait partir, se plonger dans un milieu différent, et il lui échapperait complètement.

Qu'est-ce qu'il se rappellerait de son enfance ?

Et quand Marlène s'en irait à son tour ?...

Le vide...

Il n'en travaillait pas moins. Il n'en travaillait même que davantage, comme par défi.

On l'observait. On chuchotait :

— Il a encore passé une mauvaise nuit...

Ou bien :

— Il est un peu mieux ce matin...

Brassier arriva vers dix heures, salua Mme Coutance qui établissait des factures, pénétra dans l'atelier. Il regarda avec attention autour de lui.

— C'est vrai qu'il n'y a pas place pour un établi de plus... Je voulais te prévenir que je vais demain à Deauville et que j'emmène Colomel... C'est le décorateur à la mode... Il faut que la boutique soit très moderne...

Cela n'intéressait déjà plus Célerin.

— C'est jeudi que nous signons les contrats... J'aurais préféré que cela se passe dans un bureau, mais Meyer insiste pour que nous déjeunions avec lui à la Tour d'Argent, où il retiendra un salon particulier... Il sera accompagné de son avocat, Maître Blutet, pour le cas où nous élèverions des objections... Il s'attend à ce que, de notre côté, nous ayons notre avocat...

— A quoi bon ?

— C'est ce que je lui ai dit...

— Il y a une chose à laquelle je tiens. Il faut qu'il soit spécifié qu'on n'aura pas le droit de vendre dans la boutique des bijoux de série...

— Je lui en ai parlé.

— Il est d'accord ?

119

— C'est son intérêt aussi bien que le nôtre... Je file, car j'ai rendez-vous dans un quart d'heure avec Colomel et nous nous mettons en route tout de suite...

Le lendemain, c'était un Brassier enthousiaste et impatient qui passa rue de Sévigné.

— La boutique est juste grande assez pour ce que nous voulons en faire... Il faut que cela reste un endroit intime, très raffiné... Elle est située en face du casino, à deux pas du Normandy...

Les murs du cabinet particulier étaient entièrement couverts de boiseries. Cela faisait austère, mais cela faisait riche aussi. M. Meyer présenta son avocat, qui était très jeune. Il avait à peine la trentaine mais on le sentait sûr de lui.

— Commençons par déjeuner. Un porto, avant de nous asseoir ?

On leur servit un porto très âgé, dans de grands verres. Meyer avait l'air content de lui et deux fois il frappa l'épaule de Célerin en un geste amical.

— Cela me fait plaisir d'assister à une réussite, de voir le talent reconnu...

Le menu était composé d'avance. Ils mangèrent du homard farci, en attendant le fameux canard au sang.

— Qu'a dit Colomel ?

— Il a déjà certaines idées. D'ici une semaine, il nous présentera ses premiers croquis. La boutique sera méconnaissable.

Célerin mangea son dessert sans savoir ce que c'était exactement. Il y avait certainement une liqueur dans sa composition, mais il n'aurait pas su dire laquelle.

— Une fine ?

120

— Non. J'ai encore du travail.

— Et vous, Célerin ?

— Moi non plus.

Meyer alluma son cigare. Le maître d'hôtel débarrassait la table. L'avocat allait chercher sa serviette qu'il avait déposée dans un coin.

— Je lis ?

— Vous lisez, oui... Lentement... Remettez une copie à chacun afin qu'il puisse suivre sur son texte...

Il y avait cinq grandes pages de dactylographie.

« Entre les soussignés... »

Célerin écoutait gravement. Brassier fumait sa cigarette comme s'il avait eu le trac.

Tout ce que l'on pouvait prévoir dans une association de ce genre était prévu, y compris l'assurance-vie que Meyer se réservait, quand il le voudrait, de souscrire sur la tête de Célerin. La même clause n'englobait pas Brassier, comme si celui-ci n'était pas aussi indispensable.

Il était spécifié aussi qu'aucun bijou autre que ceux de la rue de Sévigné ne serait vendu ou exposé.

— Et voilà !... J'espère que j'ai pensé à tout... Mon principe est qu'une affaire doit profiter aux deux parties et c'est dans cet esprit que le contrat a été rédigé...

Brassier remarqua :

— Je ne comprends pas bien l'article 7... Vous prévoyez qu'après un délai de trois ans l'association pourra être dissoute à votre demande... Pourquoi cette clause est-elle unilatérale ?

— Parce que c'est moi qui assume tous les frais d'installation, et celle-ci sera coûteuse. Dans les premiers mois, et même la première année, nous travaillerons à perte et ces pertes, c'est moi aussi qui les subirai. L'idée est bonne. Je vous fais confiance à tous les deux. Comme tout projet, celui-ci peut ne pas rencontrer le succès que nous envisageons.

« Je nous donne un délai de trois ans. Si, au bout de ce temps, nous travaillons toujours à perte, je me réserve le droit de me retirer de l'affaire, quitte, pour vous, à chercher un autre commanditaire... »

Il tira sur son cigare.

— Pas d'autre objection ?

— Pas de ma part, dit Brassier.

— Non, murmura Célerin qui avait à peine écouté.

L'avocat tira un stylo en or de sa poche et le tendit d'abord à Meyer. Il lui remit en même temps une quatrième copie du contrat.

— Vous signez ici...

— J'ai l'habitude, vous savez...

Puis ce fut le tour de Brassier de signer quatre fois et enfin celui de Célerin.

Meyer avait dû presser un timbre électrique qui se trouvait dans la moquette. Le sommelier parut, comme par enchantement, avec du champagne de 1929.

— Voilà comment on traite les affaires, monsieur Célerin. Dimanche matin, je ne vous connaissais pas. Nous sommes jeudi et nous sommes associés pour le meilleur et pour le pire...

Il eut un gros rire.

— A la santé de notre nouvelle société !...

Par une sorte de défi, ou pour une raison qu'il ignorait, Célerin but trois coupes coup sur coup et,

122

comme il avait déjà bu du vin en déjeunant et du porto en guise d'apéritif, la tête lui tournait.

Soudain, il se leva et partit sans dire au revoir à personne. Il était repris par ses idées noires. Qu'est-ce qu'Annette aurait pensé si elle avait assisté à cette sorte de cérémonie et si elle l'avait vu dans l'état où il était ? Il marcha au hasard des rues. Il était presque dans son quartier. Toute sa vie, il avait été sobre. Il ne se souvenait pas d'avoir été ivre une seule fois.

Au bout du quai de la Tournelle, il entra dans un bistrot, alors qu'il avait déjà la démarche hésitante.

— Un cognac. Un grand.

Il était accoudé au comptoir et se voyait dans le miroir, derrière les bouteilles. Le patron était en manches de chemise et en tablier bleu. Il n'y avait qu'un chat roux dans le bistrot et il vint se frotter à lui.

— Tiens ! dit-il à mi-voix. En voilà un qui s'intéresse à moi...

Puis il se regardait à nouveau dans le miroir. Le patron, qui en avait vu d'autres, lui adressa la parole avec bonne humeur.

— Ce n'est pas le premier, hein ?

— Le premier quoi ?

— Le premier cognac...

— Eh bien, monsieur, vous vous trompez. Je viens de boire du Pommery 1929... Trois coupes... Non : quatre... Et, avant, j'avais bu du Chambertin... Et avant le Chambertin... Je ne sais plus...

— Vous allez me raconter que vous sortez de la Tour d'Argent ?

— Et rien n'est plus vrai... Dans un cabinet particulier... Je commence à être ivre... J'aurais dû m'énivrer plus tôt, quand ma femme est morte, mais je n'y ai pas pensé... Remettez-moi ça...

— Vous croyez ?

— N'ayez pas peur... Je ne ferai pas d'esclandre... Je suis un homme inoffensif... Vous comprenez : inoffensif...

Et il tirait la langue à son image dans le miroir.

Il avait de la peine à allumer sa cigarette, car ses mains tremblaient.

— J'habite de l'autre côté de l'eau, boulevard Beaumarchais, mais je ne vais pas rentrer tout de suite chez moi... Il faut que je passe à l'atelier... Ils ont toujours besoin de moi... Ce sont des chics types, ce qu'il y a de mieux comme orfèvres sur la place de Paris...

— Vous êtes orfèvre ?

— Oui, monsieur... Et, à partir d'aujourd'hui, j'ai mon propre magasin... Où croyez-vous que j'aie mon magasin ?...

— Je ne sais pas...

— A Deauville... Je ne suis jamais allé à Deauville... Il paraît que c'est ce qu'il y a de mieux comme clientèle...

Il parlait, parlait, et en même temps il avait envie de pleurer.

— Qu'est-ce que je vous dois ?

— Trois francs quatre-vingts...

Il fouilla ses poches, trouva la monnaie.

— Vous êtes un homme bien... dit-il avant de se diriger vers la porte...

Il franchit la Seine en faisant attention aux voitures.

124

— Un accident suffit dans la famille...

Puis il rit :

— Meyer n'a pas encore eu le temps de signer la police d'assurance...

Sacré Meyer, qui prenait une assurance sur sa tête pour le 'cas où il lui arriverait malheur.

— Je vais savoir ce que je vaux sur le marché...

Il voulait chasser ses idées noires. Est-ce qu'il pouvait ressusciter sa femme ? Elle était morte. Tout le monde finit par mourir. Elle était enterrée à Ivry et il avait choisi le monument discret qui s'élèverait sur sa tombe. Un jour, il irait la retrouver.

Quant aux enfants, ils ne pensaient qu'à eux. Pas une seule fois, ils ne s'étaient préoccupés de lui. Si ! Jean-Jacques lui avait conseillé de se remarier, comme si d'être un veuf était une chose honteuse.

Et s'il avait envie de rester veuf ?

Il se retrouva devant l'Hôtel de Ville où il était allé voir Mme Mamin. C'était la patronne. Elle avait juste le physique de l'emploi. Annette devait être une de ses préférées. Tout le monde aimait Annette. On la regardait avec sympathie et avec une sorte d'attendrissement. Elle déployait tant d'énergie, malgré son petit corps frêle. Elle ne pensait jamais à elle. Elle pensait aux autres.

Et lui, comment le regardait-on ? On ne faisait guère attention à lui, en dehors de ses camarades de l'atelier et de Nathalie.

Car Nathalie l'aimait bien. Seulement, Nathalie était déjà âgée. Elle ne pourrait plus travailler très long-

125

temps. Qu'est-ce qu'il ferait alors ? Et quand elle mourrait ?...

Voilà les questions auxquelles il n'osait pas penser quand il était à jeun. Il ne serait plus seulement un veuf, mais un vieux veuf qui va dans le quartier acheter à manger pour une seule personne...

Il se retrouva rue de Sévigné et monta lentement l'escalier en se tenant à la rampe. Mme Coutance le regarda entrer avec stupeur. Il était évident qu'il avait bu plus que son compte.

— Venez dans l'atelier... J'ai une nouvelle capitale à vous apprendre à tous...

Elle le suivait, gênée. On trouve naturel que certaines personnes soient ivres, mais on ne l'admet pas de certaines autres.

On ne l'avait jamais vu ivre et il tenait à peine debout.

— Voilà, mes enfants... C'est fait et cela intéresse tout le monde... Je viens, avec Brassier, bien entendu, de signer un contrat de toute première importance...

« Dès que les travaux d'aménagements seront terminés, nous aurons notre magasin à Deauville, juste en face du casino... Un magasin où on ne vendra que des bijoux qui sortent de cet atelier... »

Ils le regardaient sans savoir s'ils devaient se réjouir ou se désoler.

— Nous devenons les associés de Meyer... Pas dans son affaire des Champs-Elysées, bien sûr... Mais en ce qui concerne le magasin de Deauville... Vous ne me félicitez pas ?

— Comment ferons-nous pour répondre à la de-

126

mande ? Vous allez prendre des ouvriers supplémentaires ?...

— Où les mettrait-on ?

Jules Daven questionna, méfiant :

— Vous n'avez pas en tête de changer d'atelier ?

— Pas tant que je vivrai... C'est ici que j'ai débuté et j'y resterai jusqu'à ma mort...

Il s'adressa à Pierrot.

— Va nous chercher deux bouteilles de vin... Du bouché...

Les ouvriers se regardaient avec consternation. Ils ne savaient pas ce qu'ils devaient penser. Ils avaient trop d'affection pour Célerin pour ne pas s'inquiéter en le voyant ainsi.

— C'est vrai, cette histoire de Deauville ?

— Où croyez-vous que je sois allé déjeuner ?... A la Tour d'Argent... Et, après le repas, l'avocat a lu le contrat que nous avons signé tous les trois... Il sera sans doute nécessaire, parfois, de faire des heures supplémentaires... Mais d'abord, dès le mois prochain, je vous augmente tous...

— Qu'en dira M. Brassier ?...

— M. Brassier n'aura rien à dire. Est-ce sa tête ou la mienne qui va être assurée ?... Parce que, sans mon travail...

Des larmes lui jaillirent des yeux.

— Je suis un idiot... J'ai trop bu... Je sens bien que j'ai trop bu et que je parle comme un ivrogne...

— Vous voulez que je vous prépare une tasse de café ? proposa Mme Coutance.

— Le café me ferait vomir... Tant pis !... J'ai commencé... Il faut que j'aille jusqu'au bout... Toi, Daven, tu me reconduiras en taxi si je ne suis pas capable de marcher droit...

Pierrot revenait avec les bouteilles et les autres regardaient le patron avec plus d'inquiétude encore. Il allait boire à nouveau, c'était certain. Et il le fit en effet.

— A votre santé... A la santé de notre nouvelle boutique...

Ils burent tous, avec une certaine tristesse.

— Dès maintenant, on travaille à toute pompe afin d'avoir un stock de bijoux quand la boutique ouvrira.

Le timbre de la porte résonna. La porte de communication était ouverte et Célerin de s'écrier :

— Tiens ! Mme Papine...

— Papin, rectifia-t-elle.

Mme Coutance essaya de s'interposer et de fermer la porte, mais il la repoussa.

— Est-ce que vous passez vos vacances à Deauville ?

— J'ai une villa à trois kilomètres...

— Eh bien, dorénavant, vous trouverez là-bas une boutique où on ne vendra que nos bijoux...

— Vous allez déménager ?...

— Jamais de la vie !... Tenez. Buvez un verre avec nous... C'est cette boutique que nous fêtons...

Mme Coutance lui faisait signe qu'elle n'y pouvait rien.

— N'ayez pas peur... C'est du bouché...

Elle but une gorgée et eut un haut-le-cœur.

— Qu'est-ce que vous nous apportez aujourd'hui ?

Elle regarda la vendeuse comme pour savoir que faire et Mme Coutance lui adressa un petit signe affirmatif.

128

— Une émeraude... Elle se trouvait dans un collier très ancien. Ma tante devait le tenir de sa mère ou de sa grand-mère...

Elle sortait de son sac une magnifique émeraude entourée de papier de soie.

— Qu'est-ce que vous voulez en faire ?

— C'est trop gros pour une bague... Je crois qu'un clip...

— Restez là... Attendez... Je vais tout de suite vous dessiner votre clip...

Il se dirigea en oblique vers sa planche à dessin, traça sur une feuille les contours de la pierre.

— Vous voulez quelque chose de moderne ?

Il prit un crayon et se mit à dessiner des traits auxquels il était impossible de donner une signification.

Il s'interrompit pour se servir à boire et pour vider son verre.

— Ne vous impatientez pas et n'ayez pas peur... Je suis ivre, mais j'ai toute ma lucidité... C'est drôle, hein, ce que je viens de dire... Et pourtant, c'est la vérité...

« Les traits fins représentent des brins d'herbe et de paille... Rendez-moi un moment la pierre... »

Il la tint au milieu du croquis.

— Ce n'est qu'une esquisse, bien entendu... Cela représente un nid... Un nid stylisé... Et, tout au fond, on aperçoit le vert admirable de votre émeraude...

Ils étaient tous fascinés. En quelques minutes, sous leurs yeux, Célerin venait de créer un de ses plus beaux bijoux.

Jules Daven le reconduisit chez lui en taxi car il aurait été incapable de rentrer seul. Il parvint pourtant à tirer la clef de sa poche, mais pas à la faire pénétrer dans la serrure.

— Te voilà chez toi... Je te conseille de te coucher et de rester au lit demain toute la journée... Au revoir, vieux...

Daven était le seul à le tutoyer. Ils avaient travaillé ensemble rue Saint-Honoré et Daven, qui avait maintenant cinquante-quatre ans, était son aîné.

Célerin le retint par la manche.

— Ne pars pas encore... Ecoute-moi... Il faut d'abord que je t'offre un verre... Si ! J'y tiens... N'oublie pas que c'est aujourd'hui une journée mémorable...

Il était ravi d'avoir trouvé ce mot-là et il souriait en le prononçant.

Nathalie vint lui prendre le bras et fit signe à Daven de sortir.

— Venez, disait-elle, je vous donnerai à boire si vous en avez envie. Votre ami est déjà trop ivre pour le laisser boire davantage...

— Daven ? s'étonnait-il, ravi.

— Je ne sais pas son nom, mais j'ai vu comme il titubait.

Les enfants étaient chacun dans leur chambre. C'était l'heure où ils faisaient leur devoirs.

Elle fit pénétrer Célerin dans sa chambre à coucher.

— Restez bien là. Je vous apporte tout de suite un verre de vin.

Et elle le lui apporta, en effet. Il n'avait pas bougé. Il était hébété.

130

— Vous ne trinquez pas avec moi ?

— Vous savez que le vin ne me réussit pas...

— Vous avez entendu le mot que j'ai dit ?

— Lequel ?

— Mémorable... C'est aujourd'hui une journée mémorable... J'ai déjeuné à la Tour d'Argent et j'ai signé un contrat...

— Passez-moi votre veston.

Il sautait d'une idée à l'autre.

— Dites-moi, Nathalie... Vous êtes une amie, ma meilleure amie, et je ne sais pas ce que je ferais sans vous... Vous étiez l'amie de ma femme aussi... Il devait lui arriver de vous faire des confidences...

Elle lui dénouait la cravate et le faisait asseoir sur le lit. Il se laissait faire comme un enfant.

— Est-ce que vous croyez qu'elle m'aimait ?... Mais, là, m'aimer vraiment, vous comprenez ce que ça veut dire ?...

— J'en suis sûre...

— Vous ne dites pas ça pour me faire plaisir ?... Je suis un homme fruste... Je suis né et j'ai été élevé dans une sorte de porcherie et je n'ai pas beaucoup d'instruction... Elle, elle était fine... C'est un mot qui lui va bien... Fine.

Il aperçut le verre encore à moitié plein sur la table de nuit.

— Vous voulez me le passer ?

Il le vida. Le plus difficile fut de lui mettre son pyjama. Il était lourd et il ne faisait rien pour aider Nathalie.

— Maintenant, vous allez vite dormir. Si vous avez besoin de quelque chose, appelez-moi...

— Où sont mes enfants ?

— Dans leur chambre... Ils travaillent...

— J'aurai honte devant eux...

— Ils ne vous verront pas... Dormez...

Et elle se retira sur la pointe des pieds car, les yeux à peine fermés, il commençait à ronfler, la bouche ouverte.

Nathalie, en effet, dit à Marlène et à Jean-Jacques que leur père était rentré de bonne heure parce qu'il croyait commencer une angine et qu'il s'était mis au lit.

— Ne faites pas de bruit pour ne pas le réveiller...

Deux fois pendant la nuit elle vint s'assurer que tout allait bien et les deux fois il dormait d'un sommeil pesant.

Ce fut un anéantissement complet. Il n'eut même pas de bribes de rêves. De temps en temps, il se retournait et retombait d'un bloc en faisant vibrer les ressorts du lit.

A six heures, comme il en avait l'habitude, il ouvrit les yeux et, à travers les joints des volets, il vit le soleil qui filtrait. Il s'assit au bord du lit et c'est alors qu'il ressentit un violent mal de tête comme il n'en avait jamais connu de sa vie.

Ses yeux aussi étaient douloureux et il eut de la peine à mettre ensemble quelques souvenirs. Il regardait son pyjama d'un œil songeur. Il ne se rappelait pas s'être déshabillé et, à plus forte raison, avoir passé ses vêtements de nuit.

Il se leva, mal d'aplomb, se dirigea vers la salle de bains en tâtonnant. La vue de son visage dans le miroir l'effraya. Son estomac était mal en point, mais c'est en vain qu'il se pencha sur la cuvette en essayant de vomir.

Il y avait un tube d'aspirine dans la pharmacie. Il en avala trois tablettes avec un verre d'eau qui lui donna le haut-le-cœur.

Il avait bu du cognac. Il lui semblait qu'il en avait encore l'arrière-goût en bouche. Mais où avait-il bu du cognac ? Cela restait un mystère.

Il était temps qu'il se recouche, car il vacillait. Il se rendormit presque tout de suite et, quand il s'éveilla, le réveil marquait dix heures du matin.

Pieds nus, il alla entrouvrir la porte.

— Nathalie !... appela-t-il. Nathalie...

Et, comme elle ne venait pas tout de suite, il se sentit abandonné.

Mémorable...

Pourquoi ce mot-là lui revenait-il à la mémoire ? Qu'est-ce qu'il y avait eu de mémorable en dehors de sa saoulerie ?

Il s'était remis sous les draps quand Nathalie parut, toute fraîche, avec son tablier de cotonnade à carreaux et le fichu qu'elle nouait autour de ses cheveux quand elle faisait le ménage.

— Comment vous sentez-vous ?

— Mal. J'ai honte...

— Si tous ceux qui boivent un verre de trop à l'occasion devaient avoir honte, c'est alors qu'on pourrait parler de la terre comme d'une vallée de larmes...

133

— Qui est-ce qui m'a déshabillé, Nathalie ?

— C'est moi.

— Les enfants m'ont vu ?

— Ils ne sont même pas entrés dans la chambre...
Je leur ai dit que vous aviez pris froid et que vous aviez
préféré vous mettre au lit...

— Est-ce que je pourrais avoir une tasse de café
très fort ?

— Dès que vous avez appelé, j'ai versé l'eau bouil-
lante dans le filtre...

Il était assis dans le lit, le dos soutenu par l'oreiller,
et il avait les cheveux ébouriffés. Il sentait qu'il dépendait de Nathalie et il était là comme un petit garçon,
à l'attendre sagement.

— Attention. Il est très chaud...

— Vous avez déjà fait le marché ?

— J'ai téléphoné au boucher, qui a livré la viande,
et il me restait des légumes...

— Vous aviez peur de me laisser seul, n'est-ce pas ?

— Vous pouviez avoir besoin de moi.

— Je ne vous ai pas dégoûté, hier soir ?

— Mais non. Vous avez été bien sage...

— De quoi est-ce que je parlais ?...

— D'un contrat que vous veniez de signer...

— Ce n'est pas une invention. J'ai signé un contrat
important... Je me demande maintenant si j'aurais dû
le faire... C'est Brassier qui m'y a poussé...

— Vous n'avez pas revendu votre atelier, au moins ?

Elle n'aimait pas Brassier. Elle le trouvait trop ambitieux. Quant à Eveline, elle ne pouvait pas la sentir.
Elle disait d'elle :

134

— Ce sont des femmes qui ne pensent qu'à leurs toilettes et à leurs soins de beauté. Je suis sûre qu'avant dix ans elle se fera effacer les rides par un chirurgien. Et à quoi passe-t-elle toute la journée ?

— Non, je n'ai pas revendu l'atelier. Au contraire... Mais, attendez... J'ai l'impression... Mais oui, une de nos meilleures clientes est venue à l'atelier quand j'y étais... Je ne sais plus comment je me suis comporté devant elle... Pourvu que je n'aie pas dit trop de stupidités...

Le café lui faisait du bien.

— Je peux en avoir une seconde tasse ?

Il demandait ça si humblement qu'elle ne put s'empêcher de sourire avec une certaine tendresse. On aurait dit un grand enfant qui a fait une bêtise et qui essaie de se faire pardonner...

Il composa le numéro de la rue de Sévigné.

— Allô !... Madame Coutance ?... Voulez-vous me passer Daven, s'il vous plaît...

Il entendait les pas qui s'éloignaient, puis qui revenaient.

— Allô !...

— Jules ? Excuse-moi de te déranger. Je n'irai probablement pas à l'atelier ce matin...

— Tu ne m'apprends rien...

— J'étais vraiment saoul, hein ?

— Aussi saoul qu'on peut l'être...

— Dis-moi.. Est-ce que je n'ai pas fait de bêtises ?

— Pas du tout...

— J'ai un vague souvenir d'avoir vu Mme Papin...

135

— Tu l'as même appelée Mme Papine, mais tu t'es tout de suite repris...

— Qu'est-ce que je lui ai dit ?

— Tu lui as annoncé que tu allais avoir un magasin à Deauville... Elle a voulu s'assurer que tu resterais quand même à Paris et que tu continuerais à travailler pour tes clientes...

— Je ne me souviens de rien de tout ça.

— Il y a mieux... Tu vas voir... Elle apportait une émeraude d'une vingtaine de carats qu'elle tient de la grand-mère ou de l'arrière-grand-mère de sa tante... Elle t'a demandé si tu pouvais la monter en clip...

« Tu as regardé la pierre un bon moment, puis tu t'es précipité vers la planche à dessin et tu as couvert la feuille de ce qu'on aurait pris au début pour un barbouillage... Moins de cinq minutes plus tard, tu as tenu la pierre au milieu et c'était un des plus beaux bijoux que tu aies créés... »

— Tu es sûr que je ne me suis pas rendu ridicule ou odieux ?

— J'en suis certain. Tu t'es laissé gentiment mettre en taxi. Je t'ai accompagné, car tu parlais d'aller boire un dernier cognac...

— Je sais que j'ai bu du cognac, mais je ne sais pas où ni quand...

— Moi non plus. A l'atelier, tu as fait chercher deux bouteilles de vin bouché...

— Qu'est-ce qu'ils ont dit ?

— Qui ?

— Tes camarades.

— Rien. Ils étaient un peu impressionnés. C'était

la première fois qu'on te voyait comme ça... Ils avaient peur aussi que tu n'ailles t'installer à Deauville, car tu parlais sans cesse d'un mirifique contrat et d'un magasin à Deauville...

— C'est vrai. Nous aurons une boutique là-bas, mais c'est à Paris que nous continuerons à faire le travail... Merci, vieux... Fais-leur mes excuses... A Mme Coutance aussi...

Debout, les mains croisées sur le ventre, Nathalie le regardait boire sa seconde tasse de café qui lui semblait moins amère que la précédente.

— Je vous ai beaucoup parlé, hier ?

— Un peu...

— Je n'ai pas la moindre idée de ce que j'ai dit... La dernière chose dont je me souvienne est d'avoir envoyé l'apprenti acheter deux bouteilles de vin bouché...

— Je crois qu'en fin de compte cela vous aura fait du bien.

— Pourquoi ?

— Il y a des semaines que vous vivez trop tendu, renfermé sur vous-même...

— J'ai tout le temps pensé à Annette...

— Et vous continuerez à y penser, mais ce ne sera plus une obsession...

— Je ne crois pas que je me suis comporté avec elle comme j'aurais dû le faire...

— Que voulez-vous dire ?

— J'y ai beaucoup réfléchi... Une femme a besoin de tendresse, de petits soins.. Pour moi, c'était plus simple... Je partais du fait que nous nous aimions, une fois pour toutes, et je ne croyais pas nécessaire

137

de le lui répéter... Elle était frêle, sensible, et je vivais à côté d'elle sans m'en apercevoir...

— Vous étiez au contraire très tendre...

— Pas assez... Maintenant, j'ai des remords...

— Vous ne devez pas en avoir... C'était une femme qui avait besoin d'une activité personnelle et, à tout prendre, je crois qu'elle était plus forte que vous...

— Qu'est-ce que nous allons faire de ses vêtements ?...

Il comprenait enfin qu'il ne pouvait pas les garder indéfiniment dans l'armoire. C'était un choc, chaque matin, de les voir pendus à leurs cintres comme des corps vides. Les entasser dans une malle qu'on monterait au grenier était une plus mauvaise solution encore ; cela ressemblerait à un second enterrement.

— A qui pourrait-on les donner ?

— Je rencontre chez les fournisseurs une petite dame très courageuse qui est veuve avec deux enfants en bas âge sur les bras... Je ne connais pas son adresse mais je peux la demander au boucher...

— Faites-le... Donnez-lui tout ce qui appartenait à Annette.

Il n'aurait peut-être pas pris cette résolution-là s'il n'avait pas bu la veille. Son mal de tête s'atténuait. Son estomac restait vague.

Il eut une dernière objection.

— Et si je la rencontrais dans la rue vêtue d'une robe de ma femme ?

— Vous ne vous en apercevriez pas. Madame n'achetait pas des vêtements exclusifs mais des vêtements de série...

— C'est vrai, admit-il.

Cela lui faisait du bien d'en parler avec Nathalie. Il avait trop gardé ces choses-là pour lui.

— Vous savez... Elle était toute ma vie...

— Je l'ai toujours su...

— Pour sa part, elle ne m'aimait pas autant. Elle était ma femme... Elle m'aimait comme une femme doit aimer son mari. Pas davantage... Est-ce vrai ?

— Je n'ose pas trop vous répondre, car on ne sait jamais ce qui se passe dans le cœur et dans la tête des gens... Il ne faut pas oublier qu'elle était très prise par son métier... Elle aurait pu être Petite Sœur des Pauvres...

— Les enfants ne parlent pas d'elle ?

— Rarement. Sinon pour dire, par exemple, quand je fais des spaghettis :

« — C'est mère qui en raffolait... »

— Vous savez que nous allons perdre Jean-Jacques ?

— Il me l'a annoncé il y a plusieurs semaines...

— Il en avait parlé à sa mère aussi ?

— Je ne crois pas. Il n'était pas très intime avec elle et c'était plutôt à moi qu'il faisait ses confidences...

— Dans quelques années, ce sera le tour de Marlène de s'envoler et nous resterons seuls tous les deux...

— A ce moment-là, il me faudra probablement une canne pour marcher, sinon des béquilles...

— J'engagerai une petite bonne pour vous aider...

— Si vous croyez que j'accepterai d'avoir une petite bonne dans les jambes ! Ou bien vous me garderez comme je serai, ou bien j'irai dans un hospice...

Etait-ce la gueule de bois qui le rendait plus sensible ? Il se mit soudain à pleurer, incapable de retenir ses larmes.

Elle le regardait sans rien dire. Cela lui faisait du bien. Il ne pleura pas longtemps et, se cachant le visage de la main, il prononça le mot mouchoir. Elle lui en apporta un, puis une serviette sur laquelle elle avait fait couler de l'eau fraîche.

— Mettez-vous ça sur le front...

Il s'était toujours cru un homme fort et voilà qu'il vivait depuis des semaines sans parvenir à retrouver son équilibre.

— Je devrais me conduire comme une grande personne...

— Je vais vous couler un bain. Vous resterez longtemps dans l'eau puis vous vous raserez si vous n'avez pas les mains qui tremblent trop...

— Mes mains tremblent ?

— Un peu. C'est naturel.

— Ce n'est pas ici non plus que j'ai bu du cognac, n'est-ce pas ?

— Je vous ai servi seulement un verre de vin. Si je vous l'avais refusé, vous vous seriez probablement fâché et les enfants étaient dans leur chambre...

Elle alla ouvrir les robinets. Il entendait le bruit familier et rassurant de l'eau.

— Pendant que vous vous baignerez, j'irai mettre mes légumes au feu...

— Quelle heure est-il ?

— Pas loin d'onze heures... Vous vous habillerez légèrement, car il fait très chaud... Je ne vous demande pas de rester au lit toute la journée ; cela vous fera du bien de vous retrouver dans votre atelier...

— Je crois, oui...

Il aurait voulu lui prendre la main et la baiser. Elle alla fermer les robinets.

— Mettez-vous d'abord debout, que je vois de quoi vous êtes capable...

Elle disait cela comme une plaisanterie mais elle le pensait. Il se leva, marcha jusqu'à la fenêtre, revint sur ses pas.

— Alors ? J'ai passé l'examen ?...

— Oui... Je peux vous laisser seul...

Il se lava longuement les dents, espérant supprimer le goût désagréable qu'il avait à la bouche. Puis, retirant son pyjama, il s'étendit dans la baignoire.

Il se rasa de plus près que d'habitude, choisit un de ses meilleurs complets et une cravate claire. Il voulait se montrer en forme devant ses enfants.

Marlène rentra la première.

— Tiens ! tu es levé ?

— C'était une fausse alerte. Hier après-midi, j'ai eu mal à la gorge et j'ai craint de commencer une angine...

— Tu es élégant, dis donc !... Qui vas-tu voir ?

— Mes camarades de travail...

Jean-Jacques, à son tour, s'exclama :

— Debout ?

— Tu vois... Les maladies ne veulent pas de moi...

C'était vrai que ses enfants ne l'avaient jamais vu passer une journée au lit.

A table, il but un verre de vin rouge et eut l'impression que cela lui faisait du bien.

141

— Ton bac ?

— Dans trois jours...

— Je suis sûr que tu vas le passer brillamment...

— Je voudrais en être aussi sûr que toi... Ils deviennent de plus en plus sévères...

Il retrouva la rue et ses taches de soleil comme s'il ne les avait pas vues depuis longtemps... Il croisait des passants, d'autres le dépassaient et il ne savait rien d'eux, il ne les regardait même pas avec attention. Tous étaient des êtres humains, avec leurs faiblesses et parfois leur héroïsme.

— Bonjour ! lança-t-il à Mme Coutance.

Elle avait perdu son mari après trois ans de mariage. Il était officier et il avait fait une chute de cheval en heurtant une branche d'arbre dans la forêt.

Elle s'était mise au travail et, petit à petit, elle avait retrouvé son équilibre et sa bonne humeur.

— Salut, vous autres ! fit-il en pénétrant dans l'atelier.

Soudain, il aperçut son esquisse de la veille. Daven ne lui avait pas menti. C'était la meilleure chose qu'il ait faite de sa carrière.

VI

Il était seul, dans le living-room, devant la télévision, à ruminer ses pensées, quand il entendit bouger à côté de lui. C'était Marlène, qui était entrée sans qu'il l'entende.

Timidement, elle posa un instant la main sur la sienne et murmura :

— Tu n'es pas trop triste que j'aille passer une partie de mes vacances dans la villa de mon amie ? Je me réjouis tout autant d'être à Porquerolles avec toi...

Il y eut un silence. Des cow-boys se poursuivaient sur l'écran.

— Est-ce que Jean-Jacques viendra avec nous ?

— Je ne sais pas. Il n'a pas encore parlé de ses vacances. Je le laisse libre... Il a sans doute aussi des amis...

— Tu es un chic type de père.

Et elle lui plaqua un baiser bruyant sur la joue.

Tous les deux, peut-être, Jean-Jacques et elle, observaient la vie chagrine qu'il menait depuis la mort de leur mère, mais c'était par pudeur qu'ils n'osaient pas se rapprocher de lui.

143

Il dormit mieux, cette nuit-là. Le matin, il remarqua que l'armoire et les tiroirs de la commode avaient été vidés des effets d'Annette. Il se demanda s'il avait eu raison de suivre le conseil de Nathalie.

Il mangea seul, comme d'habitude, car il partait le premier pour son travail. Au coin du boulevard Beaumarchais, il se heurta à un policier en uniforme, se retourna et reconnut le brigadier Fernaud, celui qui était venu lui annoncer la mauvaise nouvelle. Le brigadier s'était retourné aussi.

— Il me semble que vous n'êtes pas dans votre secteur, plaisanta Célerin.

— C'est vrai. Avant de prendre mon service, je fais une course personnelle.

Il le regardait avec attention.

— Vous allez bien ?

— Aussi bien que je puisse aller.

Fernaud hésitait, posait enfin la question qui lui brûlait les lèvres.

— Vous êtes allé rue Washington ?

— Pour quoi faire ?

Il semblait regretter d'avoir parlé.

— Je ne sais pas... Par exemple, pour trouver la maison d'où sortait votre femme...

— Vous êtes sûr qu'elle sortait d'une maison de la rue ?

— Il y a en tout cas deux témoins pour l'affirmer.

— Vous avez fait une enquête ?

Célerin, méfiant, se demandait si le policier ne lui cachait pas quelque chose.

— Si elle sortait d'un immeuble ou si elle venait de

plus loin ne nous regarde pas. Notre enquête concernait seulement l'accident proprement dit...

Le regard anxieux, soupçonneux de Célerin le gênait et il se hâta de lui serrer la main.

— Excusez-moi. On m'attend place de la Bastille...

Il n'avait rien dit de précis. Il s'était contenté d'une question, mais cette question suffisait à troubler Célerin. Est-ce qu'il aurait dû aller lui-même interroger les témoins ? Le fait qu'il ne s'en était pas préoccupé n'étonnait-il pas le brigadier ?

Tout le monde, rue de Sévigné, était déjà au travail et Jules Daven était occupé au montage difficile du clip de la veuve Papin.

— Rien de nouveau ?

— Rien. Tout va bien.

— Il faut que je m'absente une partie de la matinée...

Il disait cela à regret. Il n'aimait pas la démarche qu'il allait faire. Il en ressentait une sorte de culpabilité vis-à-vis d'Annette.

Il n'avait pas sa voiture. Il ne la prenait jamais pour venir à son travail car le chemin était très court.

Il prit un autobus. L'air était tiède. Le soleil continuait à briller et il y avait déjà quelques personnes aux terrasses.

Il descendit à la station George-V et, au coin de la rue Washington, il fut sur le point de faire demi-tour. Un pressentiment lui disait qu'il avait tort, qu'Annette avait gagné le droit au repos.

Il n'en chercha pas moins la boutique jaune d'un marchand de primeurs au-dessus de laquelle était peint le nom de Gino Manotti.

Il était dans la boutique, avec sa femme, occupé à vider un cageot de pamplemousses.

— Qu'est-ce qu'il y a pour votre service ?

Il avait un fort accent italien et les cheveux très noirs des gens du sud.

— Je m'appelle Georges Célerin...

— Quel nom vous dites ?

— Georges Célerin...

— Vous êtes un représentant ?

— Non. Je suis le mari de la femme qui a été renversée par un camion presque en face de chez vous...

— Je me souviens...

Et il se mit à parler italien avec sa femme.

— C'était un spectacle épouvantable... On aurait dit qu'elle le faisait exprès de se jeter sous les roues... Mais non !... Elle a glissé sur le sol mouillé...

— D'où venait-elle ?

— Elle sortait d'une maison...

— Laquelle ?

— Moi, je prétends que c'était le 47... Un autre témoin, qui était sur le trottoir, jure que c'était au 49...

— Vous l'aviez déjà vue auparavant ?

— Il passe tellement de monde, vous savez...

— Je vous remercie...

Il n'avait ni le nom, ni l'adresse de l'autre témoin, et il se rendit au poste de police, rue du Faubourg-Saint-Honoré.

Des gens attendaient, assis sur le banc. Il faillit prendre place au bout de la file mais l'agent qui se trouvait de l'autre côté de la balustrade lui fit signe d'approcher.

146

— Vous désirez ?

— Je suis Georges Célerin...

Le policier fronça les sourcils, comme si ce nom lui rappelait quelque chose.

— Le mari de la femme qui a été écrasée par une voiture de déménagement rue Washington...

— Je vois... J'ai un vague souvenir de ça... C'est le brigadier Fernaud qui s'en est occupé. Il n'est pas ici en ce moment...

— Je sais... Je viens de le rencontrer...

— Qu'est-ce que vous désirez ?

— J'ai trouvé l'adresse de Gino Manotti, le marchand de primeurs...

— C'est un brave homme...

— Je voudrais le nom et l'adresse de l'autre témoin, un passant qui a assisté à l'accident...

L'agent le regardait presque de la même façon que tout à l'heure le brigadier Fernaud.

— Il faudrait que je retrouve le procès-verbal... Je suis seul en ce moment... Si vous voulez revenir dans une demi-heure...

Il marcha. Il ne pouvait faire que ça. Puis il entra dans un bar pour boire une tasse de café.

Il était devenu hypersensible. Une lueur dans un regard, un froncement de sourcils suffisaient à éveiller sa méfiance.

La demi-heure fut longue. Il eut le temps de s'arrêter devant une vingtaine d'étalages et de faire l'inventaire de tous les objets exposés.

Quand il retourna au poste de police, celui qui l'avait

reçu tout à l'heure lui tendit un bout de papier sur lequel il y avait un nom et une adresse.

Gérard Verne
Représentant des Huiles Belor
Avenue Jean-Jaurès
Issy-les-Moulineaux.

Il prit le métro, dut se faire indiquer l'avenue Jean-Jaurès et ne tarda pas à découvrir le domicile du représentant des huiles Belor. Il monta au second étage. On entendait partout des femmes qui faisaient leur ménage et la concierge balayait l'escalier.

Quand il sonna, une femme en pantoufles et en robe d'intérieur vint lui ouvrir.

— Qu'est-ce que c'est ?
— M. Verne est ici ?
— Il est ici, mais il est au lit avec la grippe.
— Je ne pourrais pas lui dire deux mots ?
— Vous êtes un inspecteur de la maison Belor ?
— Non.
— Vous n'êtes pas docteur non plus ?...

Elle se méfiait.

— Je vais voir s'il est éveillé...

Elle revint quelques instants plus tard.

— Ne faites pas attention au désordre. Je n'ai pas fini le nettoyage...

Elle le conduisit dans une étroite chambre à coucher où un homme pas rasé depuis deux jours au moins était étendu. Il se redressa un peu pour s'adosser au coussin tout en regardant son visiteur avec curiosité.

148

— Je ne vous ai jamais vu, n'est-ce pas ?

— Non. Mais vous avez vu ma femme...

— Que voulez-vous dire ?

— Vous avez déposé comme témoin lors de l'accident de la rue Washington.

— C'est exact. Qui êtes-vous ?

— Le mari.

— Et qu'est-ce que vous voulez savoir ?

— Si vous avez vraiment vu ma femme sortir d'une maison...

— C'est maintenant que vous venez me demander ça ? On peut dire que vous n'êtes pas pressé...

— Vous l'avez vue ?

— Comme je vous vois. Après l'accident, j'ai même regardé le numéro de l'immeuble. Le 49. Il y a deux plaques de cuivre à gauche de la porte, dont celle d'un médecin. La police sait déjà tout ça...

— Elle courait ?

— Elle ne courait pas vraiment. Elle marchait très vite, comme quelqu'un de pressé, et soudain elle a voulu traverser la rue... Il pleuvait dru... Elle a glissé et est tombée juste devant les roues du camion...

— Vous êtes certain qu'elle sortait d'une maison ?

— Je suis assez observateur pour être sûr de moi...

— Je vous remercie... Excusez-moi de vous avoir dérangé...

Il reprit le métro jusqu'à la station George-V. C'était vrai qu'il s'y prenait tard mais, s'il n'avait rien fait jusqu'à présent, c'était par respect pour sa femme. De même, en vingt ans de mariage, n'avait-il jamais ouvert un de ses tiroirs.

Il commença par le 47 et il eut la chance de trouver la concierge dans sa loge. Il avait toujours dans son portefeuille une photographie d'Annette.

La loge sentait bon le miroton. La concierge était encore jeune et avenante.

— Si c'est pour un appartement...

— Non...

Il lui tendait la photographie.

— Est-ce que vous avez déjà vu cette personne ?

Elle regarda attentivement, s'approcha de la fenêtre pour mieux voir.

— Cela me rappelle quelqu'un... Même le petit col blanc... N'est-ce pas la dame qui a été écrasée près d'ici ?...

— Oui. A-t-elle rendu visite à un ou à une de vos locataires ?

— Pas à ma connaissance, et il est difficile de pénétrer dans la maison sans que je le sache. Surtout l'après-midi, quand je fais de la couture dans ce petit salon...

— Je vous remercie... Excusez-moi...

Il s'excusait toujours. C'était le fait d'une timidité qu'il devait sans doute à son enfance.

L'immeuble voisin était cossu. La concierge était dans l'escalier et il dut attendre un bon moment devant la porte vitrée de la loge. Quand elle descendit, elle tenait un seau d'une main et un balai de l'autre.

— Qu'est-ce que c'est ?

Elle était moins jeune que la concierge du 47 et elle avait de petits yeux méfiants.

— Je m'appelle Célerin...

Il s'imaginait que tout le monde devait être au courant des détails de l'accident et connaître le nom de la victime.

— Je suis supposée savoir ce que cela veut dire ?

Elle ajouta en ouvrant la porte de la loge :

— Attendez que je me débarrasse.

Un chat noir sauta d'une chaise sur laquelle il y avait un coussin de velours et, faisant le gros dos, se frotta aux jambes du visiteur.

— Entrez... Et dites-moi carrément ce que vous voulez... Je suppose que vous ne vendez pas des aspirateurs ou des encyclopédies ?... Quant à la voyante du cinquième, il y a près d'un an qu'elle est morte... N'empêche qu'il y a encore des gens qui viennent la demander...

Comme à regret, il tendit la photographie.

— Vous connaissez cette personne ?

Elle releva vivement la tête et le regarda avec plus d'attention.

— Vous êtes le mari ?

— Oui.

Elle hésitait visiblement.

— Vous vous êtes adressé à la police ?

— Et j'y retournerai si c'est nécessaire.

Il avait la poitrine serrée et ses genoux tremblaient. Il était évident que la concierge savait quelque chose, quelque chose de déplaisant pour lui.

— Vous étiez mariés depuis longtemps ?

— Près de vingt ans...

— Il y a dix-huit ans qu'elle venait ici...

Il avait la gorge tellement serrée qu'il avait de la

peine à parler. Il maudissait maintenant le brigadier Fernaud et son air équivoque.

— Elle venait souvent ?

— Pas tous les jours, mais au moins trois fois par semaine... Tant pis !... Si vous êtes le mari, vous avez le droit de savoir, n'est-ce pas ?... Au début, quand ils ont loué l'appartement, je les ai pris pour mari et femme... C'est lui qui s'est occupé d'acheter les meubles, les tentures et tout... J'aime mieux vous dire que c'est luxueux...

— Il a dénoncé son bail ?

— Non. Et il lui arrive encore de venir de temps en temps... Je crois bien qu'ils n'ont dormi que deux fois dans le lit... Une fois il y a trois ans...

Il avait fait un court séjour à Anvers pour acheter des pierres.

— Une autre fois, poursuivit-elle, il y a quelques mois...

— Pour s'aimer, on peut dire que ces deux-là s'aimaient. M. Brassier lui apportait toujours des friandises, car il arrivait le premier...

— Quel nom avez-vous dit ?

Il n'en croyait pas ses oreilles.

— M. Brassier, quoi. Il a bien fallu qu'il donne son vrai nom pour établir le bail... J'ai d'abord pensé que cela ne durerait pas longtemps avec cette jeune femme et que d'autres lui succéderaient... Mais non... Ils restaient aussi amoureux qu'aux premiers jours...

— C'est bien de Jean-Paul Brassier que vous parlez ?

— De qui parlerais-je d'autre ?

152

— Ils restaient longtemps là-haut ?

— Il arrivait d'habitude avant trois heures et elle un peu plus tard. Elle partait entre cinq et six heures et elle était toujours pressée...

— Qui est-ce qui faisait le ménage ?

— Moi... C'est pour cela que je les connais bien... Figurez-vous que les murs de la chambre à coucher sont tendus de soie jaune... Il y a de la soie partout... Quand elle entrait ou sortait, elle n'était pas très coquette... Elle portait presque toujours un tailleur, ou une robe bleu marine... Mais si vous voyiez le linge et les déshabillés qu'il y a là haut...

Il n'osa pas demander à monter. Il était exsangue. Le coup l'avait frappé plus encore que la mort de sa femme.

Sa femme ? Il n'osait plus se servir de ce mot-là.

Et cela n'avait pas été une passade, une passion de quelques semaines ou de quelques mois.

Il y avait dix-huit ans qu'elle venait régulièrement rue Washington, non pas dans un meublé quelconque, mais dans un appartement qui avait été meublé à son intention. Et elle y gardait du linge.

Lorsqu'il était allé voir son père, elle lui avait dit à son retour, négligemment, comme si c'était une chose sans importance :

— J'ai dû passer la nuit d'hier au chevet d'un pauvre vieux qui agonisait. Il n'y avait personne pour l'aider à mourir...

Elle lui mentait. Elle lui avait menti pendant dix-huit années. Elle n'était pas sa femme. Elle était plutôt la femme de Brassier.

Et celui-ci lui mentait aussi quand il lui racontait ses tournées de l'après-midi.

Est-ce qu'Eveline était au courant ? C'était possible. Elle était trop préoccupée d'elle-même pour être jalouse.

— Je vous remercie, madame...

Il s'éloignait en traînant les pieds. L'idée ne lui vint pas de boire. Il marchait sans but vers les Champs-Elysées.

Il n'avait jamais beaucoup apprécié Brassier, mais maintenant il le haïssait. Par contre, il ne parvenait pas à en vouloir à Annette. C'était sa faute. Il n'était pas un mari pour elle. Il l'avait prise pour une petite personne toute simple, qui ne pensait qu'à se dévouer. Il n'avait pas découvert la femme qu'elle était.

Elle en était pour ainsi dire morte. Elle courait. Elle était peut-être en retard. Elle devait se précipiter vers le métro et elle aurait le temps de se calmer, de se montrer sereine comme les autres jours.

Ce n'était pas lui qu'elle avait aimé : c'était Brassier.

Et pourtant, elle avait continué à vivre avec lui. Pendant dix-huit ans, elle s'était comportée comme sa femme.

Qu'est-ce qu'il pouvait faire ? Tuer son associé ?

Il ne se voyait pas acheter un pistolet, attendre que Brassier entre dans l'atelier et là, sans un mot, l'abattre.

Qu'est-ce que cela changerait ? Il en oubliait de prendre le métro.

Il marchait. Parfois ses lèvres remuaient. Il avait allumé une cigarette qui s'était éteinte et qui lui collait à la lèvre supérieure.

Il avait été pendant vingt ans l'homme le plus heureux

154

du monde. Il menait une existence assez modeste, mais il avait la femme qu'il avait choisie, un métier qui lui donnait des satisfactions quotidiennes.

Il lui était arrivé de dire à Annette :

— Tu sais, je suis trop heureux... Il y a des moments où cela me fait peur...

Il aurait eu raison d'avoir peur. Non seulement Annette était morte, mais c'est un autre qu'elle avait aimé. Brassier était à l'enterrement. Célerin n'avait pas fait attention à lui. Il n'avait fait attention à personne tant il était écrasé. Il se souvenait pourtant que Brassier avait été le premier à jeter une fleur dans la tombe, une seule, une rose rouge.

C'était la fleur préférée d'Annette. Il pensait rarement à lui en acheter. Ce n'était pas dans son caractère. Il aurait même été un peu emprunté s'il lui avait apporté des fleurs.

N'était-ce pas son amour qui comptait ?

Jamais l'idée ne lui était venue qu'il ne suffisait pas à sa femme. Brassier, lui, pensait à ces choses-là, et il avait fait recouvrir les murs de *leur* chambre de soie bouton-d'or.

Y avait-il un couvre-lit en satin blanc, comme dans la villa de Saint-Jean-de-Morteau ?

Il arriva ainsi, sans s'en rendre compte, place de la Concorde. Qu'est-ce qu'il allait faire ? Où aller ?

Il pensa un instant rentrer chez lui et soulager son cœur devant Nathalie. Est-ce que Nathalie ne l'avait pas toujours préféré à Annette ? N'y avait-il pas eu des détails qui n'avaient pas échappé à son œil de femme ?

155

C'était lâche de faire peser une partie de son désespoir sur les épaules de quelqu'un. Ce qui était arrivé était arrivé et il devait regarder la réalité en face. La réalité, c'est qu'Annette était morte deux fois.

*
* *

Il marchait les bras ballants, le nez en l'air, comme un idiot de village. Quand il lui arrivait de heurter un passant, il était tout surpris et il balbutiait des excuses d'une voix confuse.

On devait le prendre pour un ivrogne. Il avait bien été tenté de boire mais il avait compris que ce serait pire et que cela ne ferait qu'exacerber sa douleur.

Sans même le savoir, il avait pris la rue de Rivoli qu'il suivait à grands pas, s'arrêtant de temps en temps quand une nouvelle pensée lui venait à l'esprit.

Il n'avait pas le courage d'affronter ses camarades d'atelier et il entra dans un bar, commanda un quart Vichy et demanda un jeton de téléphone.

— Bonjour, madame Coutance... Tout va bien là-bas ?

Il avait encore assez de lucidité pour faire des politesses.

— Voulez-vous me passer Daven, s'il vous plaît ?...

Il entendit qu'on l'appelait, puis des pas qui venaient de l'atelier.

— Alors, vieux, ça ne va pas ?

On n'était pas habitué à ce qu'il ne soit pas déjà là quand les autres arrivaient et il n'avait pas été absent trois jours depuis que la maison existait.

— Pas fort, murmura-t-il.

156

— Tu es au lit ?

— Pas encore. J'avais quelque chose à faire en ville.

— Tu as vu un médecin ?

— Non.

— Tu devrais. Au fait, Brassier est ici. Tu ne désires pas lui parler ?

— Non. Je voulais seulement te prévenir que je serai sans doute quelques jours absent.

— On peut aller te voir ?

— C'est gentil à toi, mais j'aime mieux pas...

— Je te souhaite meilleure santé.

— Merci. Au revoir.

Il rentra chez lui. Toutes les fenêtres étaient ouvertes et Nathalie passait l'aspirateur dans le salon. Elle leva la tête de son appareil et le regarda avec attention, coupa le contact.

— Vous, ça ne va pas du tout, n'est-ce pas ?

— Non.

— Vous avez reçu un coup, ce matin.

— Un gros, oui.

— Venez dans votre chambre. Vous avez besoin de vous reposer. Une fois que vous serez au lit je vous donnerai de quoi dormir à poings fermés pendant quelques heures. C'est bien de ne pas avoir bu...

Il l'épiait, méfiant.

— Pourquoi m'avez-vous parlé tout de suite d'un gros coup ?

— Parce qu'un homme comme vous ne se met pas sans raison dans cet état-là...

— Vous saviez ?

— Mon bon monsieur, je savais et je ne savais pas.

Il y a des petits détails qui n'échappent pas à une femme... Quand vos amis venaient, je surprenais certains signes, certains regards échangés et, chez votre femme, des yeux plus brillants, un teint plus animé...

— Nous parlons bien du même homme ?

— M. Brassier, oui.

— Et vous croyez que sa femme savait aussi ?

— J'en suis persuadée, car elle ne se préoccupait pas de ce qui se passait à côté d'elle...

— Ils s'aimaient...

— Oui...

Il retirait son veston, car il avait très chaud.

— Vous êtes allé rue Washington ?

— J'en viens... Comment connaissez-vous l'adresse ?

— Quand j'ai su qu'elle sortait d'une maison et qu'elle se précipitait vers l'autre trottoir, j'ai tout de suite deviné... J'avais peur que vous n'ayez la même idée et que vous n'alliez là-bas...

— Ils ont un appartement depuis dix-huit ans et la concierge dit qu'ils l'ont meublé d'une façon extraordinaire... Si seulement...

— Si seulement quoi ?

— Si seulement elle me l'avait dit...

— Elle n'a pas eu le courage de vous retirer votre joie de vivre... Vous étiez heureux, confiant... Vous vous rouliez dans votre bonheur...

— C'est vrai. Quelquefois, j'avais peur... C'était peut-être un pressentiment...

— Maintenant, il faut cesser d'y penser, ne fût-ce que jusqu'à demain... Vous lui en voulez beaucoup ?

158

— Je ne sais pas... Je ne me suis pas encore posé la question.

— Il ne faut pas lui en vouloir. On ne résiste pas à un sentiment aussi violent, aussi durable. Je suis sûre qu'elle a souffert d'être obligée de vous mentir.

— Vous croyez ?

— C'était une femme qui allait jusqu'au bout...

— Et lui ?

— Il ne m'a jamais été sympathique, parce qu'il est trop sûr de lui. Le fait que cette liaison dure depuis dix-huit ans plaide pourtant en sa faveur. On ne supporte pas des rendez-vous réguliers comme ils en avaient sans un véritable amour...

— Mais pourquoi ? s'écria-t-il encore.

Pourquoi lui ? Pourquoi eux ? Sans un stupide accident, il n'aurait jamais rien su et il aurait continué sa petite vie innocente.

— Il paraît, d'après la concierge, qu'elle avait là-bas du linge fin, des négligés extravagants...

— Je sais...

— Comment pouvez-vous savoir ?

— Un soir, elle s'est changée devant moi... Mon œil a été tout de suite attiré par un soutien-gorge que je n'avais jamais vu et elle a rougi, s'est empressée de passer une robe de chambre et de m'envoyer chercher je ne sais plus quoi à la cuisine... Ce n'était pas du linge comme elle avait l'habitude d'en porter ici...

— J'ai toujours cru qu'elle avait des goûts simples...

— Sauf rue Washington... Et là, c'est probablement l'influence de M. Brassier...

Il avait le visage sans expression et son grand corps

159

paraissait mou. Il regardait le lit, la fenêtre, comme s'il ne savait que faire ni où se mettre.

— Qu'est-ce que je vais dire aux enfants ?

— Je leur dirai que vous êtes souffrant, que vous n'étiez pas vraiment remis de votre coup de froid...

— Les pauvres. Ils n'y sont pour rien...

— Je vais à la cuisine vous préparer un jus de fruits. Pendant ce temps-là, déshabillez-vous et mettez-vous en pyjama...

Il obéit. Il ne savait pas ce qu'il aurait fait s'il ne l'avait pas eue. Dix fois, en descendant les Champs-Elysées et en suivant la rue de Rivoli, il avait eu des idées de suicide.

C'était la solution radicale. Il ne penserait plus. Il ne souffrirait plus. Mais les enfants, qui n'avaient déjà pas de mère et qui commençaient à se rapprocher de lui ?

Il se dirigea vers la pharmacie pour y prendre le flacon de somnifère dont Annette se servait quand elle n'arrivait pas à s'endormir.

— Non ! Pas ces comprimés-là. C'est bon pour les enfants. Je vais vous chercher quelque chose dans ma chambre. Moi aussi, j'en ai parfois besoin. Vous voyez que chacun a ses moments de faiblesse...

Elle revint avec trois comprimés bleuâtres sur une soucoupe.

— Prenez-les tous les trois... N'ayez pas peur...

— J'en prendrais tout aussi bien vingt...

— Et il faudrait que je vous fasse conduire à l'hôpital où on vous enfoncerait un tube gros comme ça dans l'estomac... Vous croyez que c'est malin ?

160

« Maintenant, assez parlé. Couchez-vous... »

Elle alla fermer les volets, les rideaux et une pénombre légèrement dorée régna dans la chambre.

— Dormez bien... Et ne vous inquiétez pas pour les enfants.. Je saurai que leur dire...

Il était couché sur le dos, le regard au plafond, persuadé que malgré les médicaments de Nathalie il ne dormirait pas. Pourtant, après quelques minutes, ses idées commençaient à devenir floues. Il revoyait des images qu'il avait oubliées, surtout datant de son enfance. Il retrouvait même le goût de la soupe de sa mère.

Elle était morte quand il était très jeune, de sorte qu'il l'avait peu connue. Aujourd'hui, son visage lui revenait avec une netteté surprenante.

Il y avait aussi la mare, au bout du pré, près des deux saules pleureurs, où il pêchait des grenouilles.

Tout cela était clair, très coloré, comme sur un livre d'images. Il revoyait aussi son instituteur à la barbe en pointe, un des élèves qui avait un bec-de-lièvre et la fille du boulanger à qui on tirait les tresses.

Cela devenait plus flou. Sa respiration était régulière. Il dormait.

*
**

Il ne dormit pas jusqu'au soir. Il dormit jusqu'au lendemain matin. Et ce sommeil-là était si bon qu'il essaya de s'y replonger. Il était au milieu d'un rêve, il ne savait pas lequel, et il aurait voulu en connaître la fin.

Il regarda l'heure au réveille-matin. Il était six heures et demie.

Il se leva, enfila une robe de chambre et se rendit à la cuisine où, au bout de la table, Nathalie déjeunait solitairement.

— Ainsi vous voilà levé...

— Bonjour, Nathalie... Finissez de manger... Pendant ce temps-là, je me préparerai une tasse de café...

— Vous n'avez pas faim ?

— Non...

Il fallait apprendre, désormais, à vivre, à penser autrement.

— Les enfants sont encore au lit ?

— Jean-Jacques a passé son bac hier... Il était tellement épuisé après tant d'énervement que lui aussi s'est couché sans manger... Je le laisse dormir tout son saoul... Marlène a encore une semaine de cours. Dans un moment, j'irai la réveiller...

Elle mangeait de grosses tartines de confiture et cela lui donna faim. Il posa sa tasse de café sur la table, se beurra une tranche de pain, la recouvrit de confiture de groseille.

Encore un souvenir d'enfance.

— C'est curieux, votre médicament... Il m'a fait remonter à la surface des souvenirs que je croyais avoir oubliés...

— Désagréables ?

— Non. C'étaient des souvenirs d'enfance...

Il mangea trois tartines et elle se leva pour lui préparer sa seconde tasse de café.

162

— Il est temps que j'aille éveiller Marlène... Elle reste tellement longtemps dans son bain...

Contrairement à lui, elle partait toujours à la dernière minute et était obligée de courir.

Il alla se donner un coup de peigne, se rasa, puis, toujours en pyjama et en robe de chambre, il se mit à errer dans l'appartement. Marlène, quand elle vint déjeuner dans la salle à manger où son couvert était mis, fut toute surprise.

— Déjà guéri ?

Il faillit lui répondre qu'il ne guérirait jamais, mais il se retint et s'efforça de prendre un ton badin.

— Tu vois... Je ne parviens pas à faire une bonne maladie comme tout le monde...

— Tu ne vas quand même pas à l'atelier...

— Pas aujourd'hui, ni vraisemblablement les jours suivants... J'ai besoin de me reposer...

— Tu as des soucis ?

— Quelques-uns.

— Je suppose que tu ne peux pas me les dire ?

— Je ne peux pas, en effet.

Elle mangeait deux œufs à la coque dans lesquels elle trempait des mouillettes, comme quand elle était toute petite.

— Tu sais que Jean-Jacques a passé ses examens ?

— Oui. Il est content de ce qu'il a fait ?

— Tu le connais. Ce n'est pas lui qui se prendrait pour un as. On n'affichera les résultats que le 26 et d'ici là il va encore se ronger les ongles.

Jean-Jacques en avait gardé l'habitude quand il était préoccupé. Il ne parlait jamais de lui-même, ni des camarades qu'il pouvait avoir au lycée. Ce n'était pourtant pas un garçon renfermé.

— Il dort ?

— Surtout, laissez-le dormir, intervint Nathalie.

Marlène courut chercher sa serviette, mit un baiser humide sur le front de son père.

— A tout à l'heure... Soigne-toi bien...

— Maintenant, allez vous asseoir au salon. Je vous ai monté le journal. Pendant ce temps-là, je vais faire votre chambre...

Il s'assit dans son fauteuil dont le cuir était culotté comme une vieille pipe. Il s'efforça de lire. Une jeune fille s'était jetée dans la Seine et on l'avait sauvée au dernier moment. Quatre cambrioleurs, qui avaient commis de nombreux hold-up, passaient aujourd'hui aux assises.

Il ne pouvait pas. Il faisait un gros effort, ne fût-ce que pour ne pas décourager Nathalie, mais cela lui revenait sans cesse.

C'était lancinant. Et, comme on presse une dent malade, il ne cessait d'évoquer les images les plus cruelles, parfois d'une précision épouvantable.

— Maintenant, allez prendre votre bain...

Il s'étendit dans l'eau chaude et faillit s'endormir. Puis il se savonna lentement. Il n'avait rien à faire. Il était en congé, comme son fils. Mais son congé à lui était différent.

Il passa seulement un pantalon et une chemise. Il ne voulait pas s'habiller, être tenté de sortir. C'est à peine s'il acceptait de quitter sa chambre.

Il retrouva cependant Jean-Jacques dans la cuisine

où il· allait toujours rôder pour voir s'il n'y avait rien de bon dans le réfrigérateur.

— Bonjour, père...

— Bonjour, fils...

— Cela va mieux ?

— Mieux qu'hier, mais je ne suis guère vaillant.

— Qu'est-ce que tu as au juste ?

— Je ne sais pas. Peut-être une petite grippe... Es-tu content de tes examens ?

— Mettons que je n'en sois pas trop mécontent... Nous verrons ça le 26...

— Qu'est-ce que tu comptes faire pendant tes vacances ?

— Elles seront plus courtes cette année, puisque je dois être en Angleterre au début de septembre... Au fait, tu as des papiers à signer... Il faut aussi que tu paies un trimestre d'avance... Je suis gêné de te coûter si cher...

— Tu me donneras tes papiers tout à l'heure... Tu sais que ta sœur va d'abord passer quinze jours chez une amie aux Sables-d'Olonne ?...

— Oui. Elle m'en a parlé. Ensuite, elle va te retrouver à Porquerolles.

— C'est cela. Je voulais savoir si tu y viendrais aussi.

— J'y passerai peut-être deux ou trois jours... Comme je vais être plusieurs années hors de France, j'ai envie de la connaître un peu mieux. Avec un camarade, nous allons partir sac au dos, de village en village, et, si l'occasion s'en présente, nous ferons de l'auto-stop...

Célerin ne protesta pas. Il n'avait d'ailleurs pas compté sur son fils pour les vacances.

— Vous avez déjà votre itinéraire ?

— Non. On part à l'aventure, en commençant par la Bretagne...

A quoi servait-il encore ? A quoi avait-il jamais servi ?

Sans lui, Annette n'aurait pas été obligée de vivre dans le mensonge. Comme il la connaissait, elle avait dû en souffrir. Mais pourquoi tous les deux n'avaient-ils pas demandé le divorce ? A cause des enfants ? Ou bien était-ce Eveline qui s'y refusait obstinément ?

Il penchait pour cette hypothèse. Elle aimait le luxe. Elle était très intéressée par l'argent. Brassier l'avait connue alors qu'elle était jeune vendeuse dans la bijouterie où ils avaient débuté tous les deux.

Deux mois ne s'étaient pas écoulés que le mariage avait lieu.

A plus de quarante ans, elle avait moins de chance de trouver un mari à qui le succès semblait assuré. Pourquoi aurait-elle accepté le divorce ? Annette, elle, ne l'avait pas demandé non plus. S'il avait su qu'elle ne l'aimait pas, qu'elle en aimait un autre, il le lui aurait accordé. Il aurait même pris les torts à son compte.

Cela n'aurait-il pas mieux valu que de découvrir soudain, après vingt ans, que ces vingt années-là n'avaient été que comme un trompe-l'œil ?

Il lui parlait à cœur ouvert. Il croyait en elle plus qu'en qui que ce soit au monde. Il ne lui cachait rien de ses pensées les plus intimes.

166

Elle écoutait. Elle le regardait se raser en faisant des grimaces. Il s'était maintes fois étonné qu'elle ne parle jamais d'elle.

Pourquoi aurait-elle parlé d'elle à un étranger ? Car, il ne pouvait pas se le cacher, il n'avait été pour elle qu'un étranger. Un étranger qui dormait dans le même lit qu'elle et avec qui elle faisait l'amour. Un étranger qui, naïvement, lui racontait tout.

Elle devait avoir eu parfois la tentation de le faire taire. Mais sous quel prétexte ? Ils étaient mariés. Ils avaient deux enfants...

Deux enfants... Aucun des deux n'avait dix-huit ans. Trois fois par semaine Annette se rendait rue Washington.

Eveline n'avait pas donné d'enfants à son mari.

Est-ce que Jean-Jacques et Marlène...

Il se mit à marcher nerveusement dans la chambre. Pour un peu, il aurait sauté par la fenêtre.

Il croyait, il y a une demi-heure encore, qu'il lui restait Jean-Jacques et Marlène...

Etaient-ils seulement ses enfants ? Et s'ils ne l'étaient pas, s'ils étaient les enfants de l'autre ?...

Il n'osait pas aller jusqu'au bout de ses pensées. C'était atroce.

Il appela Nathalie et la regarda d'un œil hagard.

— Dites-moi la vérité. N'essayez pas de me ménager. Maintenant que j'ai reçu le coup, je peux tout apprendre. Est-ce que Jean-Jacques me ressemble ?

— Il a le visage plus allongé que vous, les cheveux plus clairs...

— Et ses yeux sont gris, n'est-ce pas ?... Gris-bleu, comme ceux de Brassier...

— Beaucoup de gens ont les yeux gris-bleu. On ne peut pas dire qu'il lui ressemble non plus.

— Et Marlène ?

— Si elle ressemble à quelqu'un, c'est à sa mère, sauf qu'elle sera beaucoup plus grande qu'elle... Je n'en finis pas de rallonger ses robes et ses blue-jeans...

— Elle n'a aucun trait de moi...

— Cela ne prouve rien. Qu'est-ce que vous êtes allé vous mettre en tête ?

— Elle faisait l'amour plus souvent avec lui qu'avec moi... Et un détail me revient. Quand Jean-Jacques est né et qu'elle était encore à la clinique, j'ai voulu toucher du bout des lèvres l'enfant que je croyais être mon fils et elle a eu un geste pour m'en empêcher, un geste si spontané que j'aurais dû me douter de quelque chose.

« Elle m'a expliqué ensuite que les grandes personnes doivent avoir aussi peu de contacts que possible avec les nouveau-nés... »

— Pauvre monsieur...

— Pauvre type, oui... Vous imaginez-vous le vide qui, maintenant, est complet ?

On entendait de la musique. C'était Jean-Jacques qui jouait un disque.

— Rien ne prouve que vous ne vous faites pas des idées.

— Rien ne prouve que ce n'est pas la vérité. Ecoutez, Nathalie... Je n'en peux plus... Je me sens capable de n'importe quelle bêtise, y compris d'aller tuer Bras-

168

sier avec ces mains-là... Je n'aurai pas besoin de revolver... Mes grosses pattes d'artisan suffiront...

Puis il cria :

— Non !...

Et il éclata en sanglots.

VII

Ce fut comme son Jardin des Oliviers et cela dura cinq jours.

— Nathalie ! Donnez-moi encore les mêmes comprimés qu'hier, voulez-vous ?

Il espérait s'échapper dans le rêve, jouer avec les images de son enfance. Cette fois, cela ne marcha pas et ce fut Annette qu'il évoqua, Annette qui, pendant dix-huit ans, avait été obligée, chaque soir, chaque nuit, chaque matin, de jouer un rôle.

Toute la matinée, pendant que Nathalie faisait le ménage, il traînait dans l'appartement, en robe de chambre et en pantoufles, et il ne se sentait aucune énergie.

Il vivait comme en dehors du temps, en dehors de l'espace. Le boulevard Beaumarchais, qu'il voyait comme un décor de théâtre, était aussi irréel que les gens qui, Dieu sait pourquoi, couraient après les autobus.

Les repas, dans la salle à manger, étaient un supplice, car il savait que les enfants l'observaient. Jean-Jacques le laissait moins voir que sa sœur, mais il était plus grave, plus soucieux que d'habitude, comme s'il s'attendait à un nouveau malheur.

Il était incapable de plaisanter, de rire. Parfois, pour rompre le silence, il leur posait des questions mais il n'y avait aucune communication directe entre eux et lui.

— Qu'est-ce qu'il fait, le père de ton amie ? Au fait, comment s'appelle-t-elle ?

— Hortense...

— Tu sais ce que fait son père ?

— Il est avocat... Il est assez fort et Hortense est la plus grosse fille de la classe... Tu n'écoutes pas...

— Mais si.

— Alors, répète-moi les derniers mots que je viens de prononcer.

— Avocat...

— Tu vois ! Tu devrais te secouer, mon pauvre père, sinon c'est moi qui vais appeler le docteur.

Il n'avait pas d'appétit. Il mangeait à peine.

Il avait hâte de se retrouver dans sa chambre. S'il l'avait pu, il aurait dormi toute la journée.

Il restait assis le plus souvent dans un fauteuil, près de la fenêtre ouverte, car il faisait très chaud. Il ne s'apercevait pas du mouvement et du bruit du dehors. Cela se passait en dehors de lui, en dehors de son nouvel univers.

Nathalie ne le laissait jamais longtemps seul. Elle savait qu'il n'avait pas d'arme. Elle n'en craignait pas moins qu'il se suicide, sans doute en se jetant par la fenêtre. Dans l'état où il était, tout était possible.

Il était conscient du but de ces visites furtives.

— N'ayez pas peur, Nathalie... Je ne me détruirai

pas... Ce cap-là est passé... J'y ai pensé, au début, mais c'est déjà loin...

— Vous feriez mieux de vous habiller et de venir faire un tour avec moi...

Comme un grand malade qu'on est obligé de surveiller.

— Je n'ai aucune envie de sortir...

Toujours les mêmes pensées, ou à peu près. On aurait dit qu'il prenait un malin plaisir à se torturer.

Les deux ménages, le ménage Brassier et le sien, dînaient assez souvent ensemble. Est-ce que ce n'était pas une pénible épreuve pour les amants ?

Il était persuadé qu'Eveline était au courant. Mais c'était de lui qu'ils devaient se méfier. Ils jouaient un rôle. Ils évitaient de se regarder. Deux fois, il s'en souvenait maintenant, Annette avait dit « tu » au lieu de « vous » et, confuse, elle s'en était excusée auprès de Brassier.

— Entre de vieux amis, vous savez...

Et tout cela était faux. Tout cela grinçait. Ils avaient vécu dans un mensonge perpétuel.

Il regrettait, maintenant, d'avoir donné les vêtements et le linge de sa femme, car il éprouvait parfois le besoin de retrouver son odeur.

Une solution ? Il n'y en avait pas. Même l'atelier de la rue de Sévigné était à Brassier plutôt qu'à lui.

Quant aux enfants...

Est-ce qu'il existait une preuve ? Pouvait-on établir, par l'analyse du sang, par exemple, de qui ils étaient ?

Il passait par des alternatives de rage et de résignation. Ces enfants-là, il les avait élevés. C'était lui

173

qui était allé les border dans leur lit chaque soir. C'était lui aussi qui, quand ils étaient plus petits, les promenait le dimanche.

Peu importe de qui ils étaient. C'était à lui, maintenant, qu'ils appartenaient, et Brassier n'avait pas le droit de les lui reprendre.

Il fallait mettre tout ça au point. A qui avait été Annette ? Pas à lui. Les deux premières années, il était persuadé qu'elle avait tenté de l'aimer.

Quand ils faisaient l'amour, elle essayait visiblement de se mettre à son diapason. Elle était trop honnête pour feindre. Elle retombait, inerte, et il lui était arrivé de pleurer.

— Tu as eu tort de m'épouser. Il est probable que je suis frigide. Je ne le savais pas...

Il était confiant.

— Cela viendra... Ne te crispe pas... Tu seras étonnée, un soir...

Et sans doute avait-elle été étonnée de ce qui lui arrivait. Mais c'était dans les bras de Brassier.

Comme ils devaient souffrir tous les deux pendant les vacances ! Ils étaient séparés. Ils ne pouvaient même pas s'écrire. Il se revoyait avec elle, dans les fauteuils transatlantiques de Riva-Bella.

Lui était heureux, béatement heureux. Il se croyait le plus fortuné des hommes.

Brassier était devenu son ami intime et, quand ils s'étaient associés, ils se voyaient presque chaque jour. Les deux ménages aussi se voyaient.

— Comment va Eveline ?

— Comme toujours. Ces derniers temps, elle s'est

174

mise à lire des livres presque sérieux, mais elle ne tardera pas à retourner à ses magazines... Et Annette ?

— Elle consacre son temps à ses petits vieux et à ses petites vieilles... C'est à peine si elle s'aperçoit qu'elle a deux enfants...

Il serrait les poings. Tous les mots étaient exacts. Tous avaient été prononcés, et bien d'autres.

Et maintenant...

Plus rien. Devant lui, la vie était comme bouchée. Daven lui téléphona pour prendre de ses nouvelles.

— Comment vas-tu ? Ici, nous devenons inquiets.

— Cela commence à aller mieux...

Tout au moins ne se jetait-il plus la tête au mur !

— J'ai fini le clip de Mme Papin...

— Quel clip ?

— Le sertissage de l'émeraude qu'elle a apportée... Le dessin que tu as brossé en quelques minutes...

Il était saoul, alors. L'envie lui venait parfois de se saouler à nouveau, mais il avait peur de ce qu'il serait capable de faire.

— Ce nid en fils et en lamelles d'or m'a donné un mal de chien et j'y ai passé une partie de la nuit... Elle tient à porter le clip ce soir à une grande soirée... Je passe te le montrer ?

— Non.

— Cela ne t'intéresse pas ?

— Non.

Il ajouta, amer, comme pour se torturer davantage :

— Montre-le à Brassier...

Il faisait un effort, chaque matin, pour se raser, toujours à cause des enfants. D'un de ses enfants, car

175

Jean-Jacques était déjà parti en vacances, sac au dos, en compagnie de son ami. Il portait une tenue qui rappelait celle des boy-scouts.

— Je te verrai à Porquerolles, avait-il promis.

Marlène se préparait au départ, elle aussi.

— Est-ce que je peux m'acheter une saharienne ?

— Qu'est-ce que c'est ?

— Une veste avec des poches à soufflets, en gabardine légère, et des pantalons assortis...

Elle devait aller chercher son amie Hortense, place des Vosges. Elle embrassa son père avec insistance.

— Essaie de t'en sortir, mon vieux père chéri... Tu ne peux pas continuer comme ça...

Il eut un sourire pâle.

— Je te promets de faire mon possible.

— Et, à Porquerolles, dans quinze jours, je retrouverai un père qui a repris contact avec la vie ? Tu sais ce que tu devrais faire ?

— Non.

— Emmène Nathalie. Cela lui fera des vacances, à elle aussi. Ce n'est pas gentil de la laisser seule dans l'appartement... Je peux lui en parler ?

On lui donnait une garde-malade.

— Nathalie... Viens une seconde ici... J'ai une bonne nouvelle à t'annoncer... Mon père a décidé de t'emmener avec lui à Porquerolles...

— Il veut se débarrasser de moi en me noyant ? plaisanta-t-elle. Je nage comme un caillou.

— A quel hôtel seras-tu, père, que je n'aie pas à chercher partout après toi.

176

— A l'hôtel des Iles-d'Or. Je vais téléphoner pour retenir une chambre de plus.

— Tu y vas en voiture ?

— Je ne sais pas encore...

Rideau ! Les enfants étaient partis. Il n'y avait plus que Nathalie et lui dans l'appartement trop grand.

— Cela ne vous ennuie pas de venir à Porquerolles ?

— Au contraire. Je parie que c'est une idée de Marlène.

— Oui... Je crois qu'elle a peur de me laisser seul là-bas pendant deux semaines...

A certaines heures, il paraissait un homme normal et à d'autres, soudain, il semblait faire une dépression grave.

Un matin, il se rasa comme d'habitude, prit son bain, se mit en robe de chambre et gagna le salon. Il décrocha le téléphone, composa le numéro de l'atelier.

— Bonjour, madame Coutance...

— Votre voix est plus claire, aujourd'hui.

— Dites-moi, est-ce que Brassier est là ?

— Il vient d'arriver...

— Voulez-vous me le passer ?

Il était tendu mais cela ne se voyait pas et Nathalie, qui jeta un coup d'œil par la porte entrouverte, le trouva beaucoup mieux que les derniers jours.

— Allô...

— Ici, Célerin.

— Brassier.

— J'ai besoin de vous parler...

Il disait vous sans le vouloir alors qu'il le tutoyait depuis des années.

— Quand ?

— Le plus vite possible.

— Vous voulez venir à l'atelier ?

— Non.

— Chez moi ?

— Non plus.

— Chez vous ?

— Nous pourrions choisir une brasserie des environs ?

— Il y aura trop de monde.

— Le hall d'un grand hôtel...

C'était du Brassier tout pur. Célerin ne se voyait pas dans le hall du George-V ou du Crillon.

— Il y a un petit bistrot, au coin de la place des Vosges et de la rue du Pas-de-la-Mule...

— Je vois...

— A la terrasse, il n'y a presque personne au début de l'après-midi... Disons deux heures...

— J'y serai...

Quand Célerin raccrocha, il regardait fixement devant lui.

VIII

— Cela fait drôle de ne pas avoir les enfants à table...

Ils mangeaient seuls, Nathalie et lui, et Nathalie regardait souvent les deux places vides. Il y en avait même trois de vides, dont une définitivement. Elle avait les yeux humides.

— Qu'est-ce que vous allez lui dire ?

— Je ne sais pas.

Il s'habilla comme pour se rendre au travail. Brassier, lui, comme d'habitude, serait tiré à quatre épingles et viendrait sans doute dans la Jaguar rouge qu'il avait achetée récemment.

Célerin arriva le premier et, comme il s'y attendait, il n'y avait personne à la terrasse. Même au bar, on voyait peu de consommateurs. C'était l'heure creuse.

— Qu'est-ce que je vous sers ?

— Un quart Vichy...

Son cœur battait si fort qu'il y porta la main, comme pour le calmer. Une voiture rouge ne tarda pas à s'arrêter un peu avant la terrasse et Brassier en descendit, marcha vers lui, fit mine de lui tendre la main.

— Non.

Célerin le regardait fixement, comme s'il voulait découvrir les changements qui auraient pu se produire en lui. Et, en effet, il n'était plus tout à fait le même. Son assurance avait disparu, du moins momentanément. Son regard était fuyant.

— Un cognac, commanda-t-il quand le garçon se présenta.

Et il le rappela pour lui dire :

— Un grand...

Ils gardaient tous les deux le silence. Le garçon revint avec le cognac, rentra dans le café. Brassier but la moitié de son verre, s'essuya la bouche, murmura d'une voix sourde :

— Ce n'est pas ce que tu penses...

— Qu'est-ce que tu crois que je pense ?

Il reprenait machinalement le tutoiement.

— Que je suis un salaud...

Célerin se tut.

— Je ne sais pas ce que tu aurais fait à ma place. Si je ne m'étais pas marié deux ans trop tôt, c'est Annette que j'aurais épousée...

— Mais tu ne l'as pas épousée...

— Ma femme refusait de divorcer et elle a eu soin, pendant dix-huit ans, de ne me donner aucun sujet de plainte...

— Alors, Annette et toi, vous vous êtes vus en cachette... Tu as loué un appartement, tu l'as meublé, tu...

Célerin avait de la peine à parler.

— J'ai fait ce que j'ai pu pour la rendre heureuse.

— Car elle t'aimait.

180

— Oui. Elle aussi aurait voulu que nous divorcions tous les deux. Ce n'était pas une aventure. Ce n'était pas un adultère banal...

— Il n'aurait pas duré dix-huit ans...

— J'ai souffert autant que toi quand elle est morte, et moi je ne pouvais pas le montrer...

— Tu as jeté la première fleur dans la fosse...

— Cela a été un geste instinctif... Une rose rouge... Sa fleur préférée... Il y en avait toujours dans l'appartement...

— Pas chez moi...

Brassier le regarda en face et il y avait une certaine humilité dans ses yeux.

— Qu'est-ce que tu vas faire ? questionna-t-il.

— Et toi ?

— Je suppose qu'il est impossible que nous continuions à travailler ensemble ?

— C'est impossible, en effet...

Célerin respirait mal. Il regardait avec envie le verre de cognac de Brassier.

— C'est toi qui as fait le succès de l'atelier... C'est donc à toi qu'il reviendra...

— Qu'est-ce que tu feras ?

— Ce ne sont pas les offres qui me manqueront quand on saura que je suis libre...

Le plus gros était à venir et Célerin hésitait à aborder cette question-là.

— Les enfants ?...

— Je ne sais pas... Annette ne savait pas non plus... Nous appartenons au même groupe sanguin...

— Qui te l'a dit ?

— Annette a regardé ta carte... Tu es du groupe AB... Moi aussi...

— Mais tu faisais plus souvent l'amour que moi...

— C'est possible. Cela ne signifie rien...

— Je les garde, prononça fermement Célerin.

— De toute façon, je ne peux pas te les prendre. Officiellement, ils sont à toi... Et, en outre, Eveline ne les voudrait pas...

Pour la première fois depuis qu'il le connaissait, Célerin vit de l'humidité dans les yeux de Brassier.

— Garçon ! appela celui-ci. Encore un double cognac.

Puis :

— Je ne suis pas venu en ennemi, Georges... Il y a longtemps que j'aurais voulu te parler...

— Tu m'aurais dit la vérité ?

— Oui. Je sais que je t'aurais fait mal, mais je pensais que cela valait mieux qu'il n'y ait pas de mensonges entre nous...

« Quand j'allais dîner chez toi, que je voyais Jean-Jacques et Marlène... »

Il fut obligé de détourner la tête et Célerin attendit qu'il reprenne contenance.

— Où sont-ils en ce moment ?

— Jean-Jacques a réussi son bac d'une façon brillante et il est en train de visiter la France, à pied, avec un ami...

— Et Marlène ?

— Elle passe quinze jours chez une amie aux Sables-d'Olonne, après quoi elle viendra me rejoindre à Porquerolles...

— Tu me laisseras les revoir une fois ?

182

— A condition que tu ne leur parles pas du passé...

— Je n'aurais pas cette cruauté-là... Qu'est-ce que Jean-Jacques envisage de faire plus tard ?

— En septembre, il entre dans une école de Cambridge, pour perfectionner son anglais...

— Et ensuite ?

— Il ne sait pas encore. Il ne veut pas se décider à la légère. C'est un garçon sérieux, presque trop sérieux... Il est attiré par la psychologie et par les sciences sociales mais il veut aller les étudier aux Etats-Unis...

Il y eut un long silence pendant lequel Georges Célerin jeta un coup d'œil sur les arcades qui entouraient la place ensoleillée où des enfants jouaient bruyamment. Les maisons toutes pareilles, d'un pur style Louis XIII, formaient un carré régulier. Quand Jean-Jacques était tout jeune, ils venaient le promener, Annette et lui, dans sa petite voiture. Plus tard, ils avaient fait de même avec Marlène et, le plus souvent, c'était Célerin qui poussait le landau.

C'était une très belle journée, une de ces journées dont les amoureux se souviennent toute leur vie. Il y en avait deux, à trois tables de la leur, sur la terrasse, et ils se tenaient la main, ne se lassaient pas de se regarder.

Brassier fut le premier à se ressaisir.

— Ce matin, j'ai mis les pieds pour la dernière fois rue de Sévigné...

Célerin ne dit rien. Il fixait toujours la place des Vosges et, en particulier, un garçonnet qui jouait au cerceau. C'était rare de voir encore un enfant jouer au cerceau.

— Mon avocat remplira les papiers nécessaires...

— Je tiens à rembourser ta mise de fonds...

— Je l'ai regagnée plus de dix fois...

— Je dis que j'y tiens...

— L'avocat t'écrira. C'est Maître Lefort, avenue de Courcelles... Bien entendu, il ne peut pas inclure les enfants dans l'acte, mais je t'enverrai une lettre que...

— Non.

— Pourquoi ?

— Parce que ce ne sont pas des choses qui s'écrivent... Et, chez moi, il n'y a pas de meuble qui ferme à clef...

— Garçon !

— C'est moi qui ai fixé le rendez-vous... C'est donc moi qui paie l'addition...

Ils étaient aussi gauches l'un que l'autre. Chacun hésitait à se lever le premier.

Ce fut Célerin qui finit par ne plus y tenir.

— Adieu... balbutia-t-il sans regarder Brassier.

Et celui-ci fit à son tour :

— Adieu, Georges...

Célerin s'enfonça dans l'ombre de la rue du Pas-de-la-Mule et il entendit ronfler le moteur de la Jaguar.

FIN

Epalinges, le 11 octobre 1971

OUVRAGES DE GEORGES SIMENON

AUX ÉDITIONS FAYARD

Monsieur Gallet, dé-
cédé
Le pendu de Saint-
Pholien
Le charretier de la Pro-
vidence
Le chien jaune
Pietr-le-Letton
La nuit du carrefour
Un crime en Hollande
Au rendez-vous des
Terre-Neuvas
La tête d'un homme

La danseuse du gai
moulin
Le relais d'Alsace
La guinguette à deux
sous
L'ombre chinoise
Chez les Flamands
L'affaire Saint-Fiacre
Maigret
Le fou de Bergerac
Le port des brumes
Le passager du « Po-
larlys »

Liberty Bar
Les 13 coupables
Les 13 énigmes
Les 13 mystères
Les fiançailles de
M. Hire
Le coup de lune
La maison du canal
L'écluse no 1
Les gens d'en face
L'âne rouge
Le haut mal
L'homme de Londres

A LA N.R.F.

Les Pitard
L'homme qui regardait
passer les trains
Le bourgmestre de
Furnes
Le petit docteur

Maigret revient
La vérité sur Bébé
Donge
Les dossiers de l'A-
gence O
Le bateau d'Emile
Signé Picpus

Les nouvelles enquêtes
de Maigret
Les sept minutes
Le cercle des Mahé
Le bilan Malétras

EDITION COLLECTIVE

SOUS COUVERTURE VERTE

I. — La veuve Cou-
derc - Les demoisel-
les de Concarneau -
Le coup de vague -
Le fils Cardinaud.
II. — L'Outlaw - Cour
d'assises - Il pleut
bergère... - Bergelon.
III. — Les clients d'A-
nenos - Quartier nè-
gre - 45° à l'ombre.
IV. — Le voyageur de
la Toussaint - L'as-
sassin - Malempin.
V. — Long cours -
L'évadé

VI. — Chez Krull - Le
suspect - Faubourg.
VII. — L'aîné des Fer-
chaux - Les trois
crimes de mes amis.
VIII. — Le Blanc à lu-
nettes - La maison
des sept jeunes filles
- Oncle Charles s'est
enfermé.
IX. — Ceux de la soif
- Le cheval blanc -
Les inconnus dans la
maison

X. — Les noces de Poi-
tiers - Le rapport
du gendarme G.7.
XI. — Chemin sans is-
sue - Les rescapés
du « Télémaque » -
Touristes de bana-
nes.
XII. — Les sœurs La-
croix - La mauvaise
étoile - Les suicidés
XIII. — Le locataire -
Monsieur La Souris -
La Marie du Port.
XIV. — Le testament
Donadieu - Le châle
de Marie Dudon - Le
clan des Ostendais

SERIE POURPRE

Le voyageur de la Toussaint. — La maison du Canal. — La Marie du Port

ACHEVÉ D'IMPRIMER
LE 4 FÉVRIER 1972
SUR LES PRESSES DE
L'IMPRIMERIE HÉRISSEY
A ÉVREUX (EURE)

Nᵒ d'éditeur : 3041 — Nᵒ d'imprimeur : 11763
Dépôt légal : 1ᵉʳ trimestre 1972